수학 전문가가 만든 연산 교재

원리샘

2학년 6

• **나눗셈** •

지은이의 말

수학은 원리로부터

수학은 구체물의 관계를 숫자와 기호의 약속으로 나타내는 추상적인 학문입니다. 이 점이 아이들이 수학을 어려워하는 가장 큰 이유입니다. 이러한 수학은 제대로 된 이해를 동반할 때 비로소 힘을 발휘할 수 있습니다. 수학은 어느 단계에서나 원리가 가장 중요합니다.

수학 교육의 변화

답을 내는 방법만 알아도 되는 수학 교육의 시대는 지나고 있습니다. 연산도 한 가지 방법만 반복 연습하기 보다 다양한 풀이 방법이 중요합니다. 교과서는 왜 그렇게 해야 하는지 가르쳐 주고 다양한 방법을 생각하도록 하지만, 학생들은 단순하게 반복되는 연습에 원리는 잊어버리고 기계적으로 답을 내다보니 응용된 내용의 이해가 부족합니다.

연산 학습은 꾸준히

유초등 학습 단계에 따라 4권~6권의 구성으로 매일 10분씩 꾸준히 공부할 수 있습니다. 원리와 다양한 방법의 학습은 그림과 함께 재미있게, 연습은 다양하게 진행하되 마무리는 집중하여 진행하도록 했습니다. 부담 없는 하루 학습량으로 꾸준히 공부하다 보면 어느새 연산 실력이 부쩍 늘어난 것을 알 수 있습니다.

개정판 원리셈은

동영상 강의 확대/초등 고학년 원리 학습 과정 강화 등으로 교과 과정을 완벽하게 대비할 수 있도록 원리와 개념, 계산 방법을 학습합니다. 단계별 원리 학습은 물론이고 연습도 강화했습니다.

학부모님들의 연산 학습에 대한 고민이 원리셈으로 해결되었으면 하는 바람입니다.

지은이 *천종현*

원리셈의 특징

☑ 원리셈의 학습 구성

한 권의 책은 매일 10분 / 매주 5일 / 6주 학습

☑ 원리셈의 시나브로 강해지는 학습 알고리즘

초등 원리셈은

시작은 원리의 이해로부터, 마무리는 충분한 연습과 성취도 확인까지

☑ 체계적인 학습 구성

쉽게 이해하고 스스로 공부!
실수가 많은 부분은 별도로 확인하고 연습!
주제에 따라 실전을 위한 확장적 사고가 필요한 내용까지!
원리로 시작되는 단계별 학습으로 곱셈구구마저 저절로 외워진다고 느끼도록!

원리셈 전체 단계

키즈 원리셈

5·6세		6·7세		7·8세	
1권	5까지의 수	1권	10까지의 더하기 빼기 1	1권	7까지의 모으기와 가르기
2권	10까지의 수	2권	10까지의 더하기 빼기 2	2권	9까지의 모으기와 가르기
3권	10까지의 수 세어 쓰기	3권	10까지의 더하기 빼기 3	3권	덧셈과 뺄셈
4권	모아 세기	4권	20까지의 더하기 빼기 1	4권	10 가르기와 모으기
5권	빼어 세기	5권	20까지의 더하기 빼기 2	5권	10 만들어 더하기
6권	크기 비교와 여러 가지 세기	6권	20까지의 더하기 빼기 3	6권	10 만들어 빼기

초등 원리셈

1학년		2학년		3학년	
1권	받아올림/내림 없는 두 자리 수 덧셈, 뺄셈	1권	두 자리 수 덧셈	1권	세 자리 수의 덧셈과 뺄셈
2권	덧셈구구	2권	두 자리 수 뺄셈	2권	(두/세 자리 수)×(한 자리 수)
3권	뺄셈구구	3권	세 수의 덧셈과 뺄셈	3권	(두/세 자리 수)×(두 자리 수)
4권	□ 구하기	4권	곱셈	4권	(두/세 자리 수)÷(한 자리 수)
5권	세 수의 덧셈과 뺄셈	5권	곱셈구구	5권	곱셈과 나눗셈의 관계
6권	(두 자리 수)±(한 자리 수)	6권	나눗셈	6권	분수

4학년		5학년		6학년	
1권	큰 수의 곱셈	1권	혼합 계산	1권	분수의 나눗셈
2권	큰 수의 나눗셈	2권	약수와 배수	2권	소수의 나눗셈
3권	분모가 같은 분수의 덧셈과 뺄셈	3권	분모가 다른 분수의 덧셈과 뺄셈	3권	비와 비율
4권	소수의 덧셈과 뺄셈	4권	분수와 소수의 곱셈	4권	비례식과 비례배분

초등 원리셈의 단계별 학습 목표

원리와 연습을 모두 잡는 원리셈!!

학년별 학습 목표와 다른 책에서는 만나기 힘든 특별한 내용을 확인해 보세요.

⊙ 1학년 원리셈

모든 연산 과정 중 실수가 가장 많은 덧셈, 뺄셈의 집중 연습
여러 가지 계산 방법 알기
덧셈, 뺄셈의 관계를 이용한 '□ 구하기'의 이해

⊙ 2학년 원리셈

두 자리 덧셈, 뺄셈의 여러 가지 계산 방법의 숙지와 이해
곱셈 개념을 폭넓게 이해하고, 곱셈구구를 힘들지 않게 외울 수 있는 구성
나눗셈은 3학년 교과의 내용이지만 곱셈구구를 외우는 것을 도우면서 곱셈구구의 범위에서 개념 위주 학습

⊙ 3학년 원리셈

기본 연산은 정확한 이해와 충분한 연습
곱셈, 나눗셈의 관계를 이용한 '□ 구하기'의 이해
분수는 학생들이 어려워 하는 부분을 중점적으로 이해하고, 연습하도록 구성

⊙ 4학년 원리셈

작은 수의 곱셈, 나눗셈 방법을 확장하여 이해하는 큰 수의 곱셈, 나눗셈
교과서에는 나오지 않는 실전적 연산을 포함
많이 틀리는 내용은 별도 집중학습

⊙ 5학년 원리셈

연산은 개념과 유형에 따라 단계적으로 학습 후 충분한 연습
약수와 배수는 기본기를 단단하게 할 수 있는 체계적인 구성

⊙ 6학년 원리셈

분수와 소수의 나눗셈은 원리를 단순화하여 이해
비의 개념을 확장하여 문장제 문제 등에서 만나는 비례 관계의 이해와 적용
비와 비례식은 중등 수학을 대비하는 의미도 포함. 강추 교재!!

2학년 구성과 특징

1권~3권에서 두 자리 수 덧셈과 뺄셈, 4권~6권에서는 곱셈과 나눗셈의 개념을 공부합니다. 덧셈과 뺄셈은 원리를 이용한 여러 가지 가로셈의 계산과 속도를 위한 세로셈의 계산을 다양한 형태로 적절히 배분하였습니다. 나눗셈은 3학년 내용이지만 6권에서 나눗셈의 개념을 활용하여 곱셈구구의 연습이 되도록 구성했습니다.

원리

수 모형, 동전 등을 이용하여 원리를 직관적으로 이해하고 쉽게 공부할 수 있도록 하였습니다.

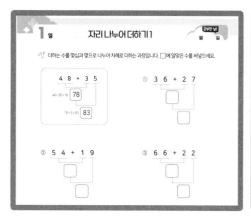

다양한 계산 방법

다양한 계산 방법을 공부함으로써 수를 다루는 감각을 키우고, 상황에 따라 더 정확하고 빠른 계산을 할 수 있도록 하였습니다.

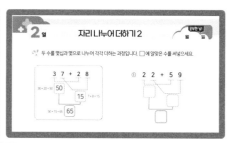

연습

학습 순서를 원리를 생각하며 연습할 수 있도록 배치하였고, 이해를 도울 수 있는 소재 및 그림과 함께 연습한 후, 숫자와 기호로 된 문제도 꾸준히 반복할 수 있도록 하였습니다

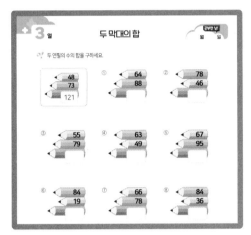

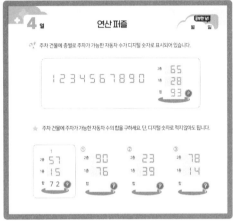

도전! 계산왕

주제가 구분되는 두 개의 단원은 정확성과 빠른 계산을 위한 집중 연습으로 주제를 마무리 합니다.

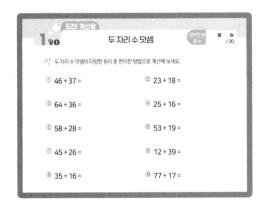

성취도 평가

개념의 이해와 연산의 수행에 부족한 부분은 없는지 성취도 평가를 통해 확인합니다.

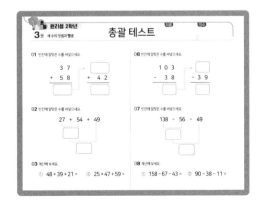

✓ 책의 사이사이에 학생의 학습을 돕기 위한 저자의 내용을 잘 이용하세요.

📖 단원의 학습 내용과 방향

한 주차가 시작되는 쪽의 아래에 그 단원의 학습 내용과 어떤 방향으로 공부하는지를 설명해 놓았습니다.
학부모님이나 학생이 단원을 시작하기 전에 가볍게 읽어 보고 공부하도록 해 주세요.

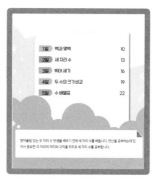

📚 이해를 돕는 저자의 동영상 강의

처음 접하는 원리/개념과 연산 방법의 이해를 돕기 위한 동영상 강의가 있으니 이해가 어려운 내용은 QR코드를
이용하여 편리하게 동영상 강의를 보고, 공부하도록 하세요.

학습 동영상

📘 학습 Tip   간략한 도움글은 각 쪽의 아래에 있습니다.

✏️ 천종현수학연구소 네이버 카페와 홈페이지를 활용하세요.

카페와 홈페이지에는 추가 문제 자료가 있고, 연산 외에서 수학 학습에 어려움을 상담 받을 수 있습니다.

네이버에서 천종현수학연구소를 검색하세요.

· **1**주차 ·
벌레 먹은 곱셈구구

어떤 수와 □의 곱셈식을 보고 □의 수를 구하는 것을 공부합니다. 곱셈의 응용 학습이자, 곱셈과 나눗셈의 관계와 곱셈을 이용한 나눗셈의 몫을 구하는 내용의 예비 학습입니다. 2일차의 벌레 먹은 곱셈은 나눗셈의 예비 학습이 됩니다.

벌레 먹은 곱셈1

 벌레가 종이를 먹어서 보이지 않는 수가 있습니다. □에 알맞은 수를 써넣으세요.

①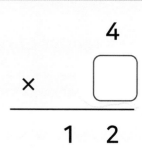

```
      4
×    □
─────────
    1  2
```

②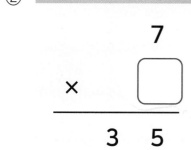

```
      7
×    □
─────────
    3  5
```

③

```
×    9
─────────
    3  6
```

④

```
      3
×    □
─────────
    2  4
```

⑤

```
×    8
─────────
    5  6
```

⑥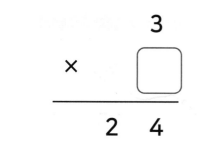

```
×    2
─────────
    1  2
```

☁️ □에 알맞은 수를 써넣으세요.

①
$$\begin{array}{r} 5 \\ \times\ \boxed{} \\ \hline 3\ 0 \end{array}$$

②
$$\begin{array}{r} \boxed{} \\ \times\ 6 \\ \hline 3\ 6 \end{array}$$

③
$$\begin{array}{r} 8 \\ \times\ \boxed{} \\ \hline 3\ 2 \end{array}$$

④
$$\begin{array}{r} \boxed{} \\ \times\ 4 \\ \hline 2\ 8 \end{array}$$

⑤
$$\begin{array}{r} \boxed{} \\ \times\ 9 \\ \hline 4\ 5 \end{array}$$

⑥
$$\begin{array}{r} 2 \\ \times\ \boxed{} \\ \hline 1\ 4 \end{array}$$

⑦
$$\begin{array}{r} 3 \\ \times\ \boxed{} \\ \hline 2\ 7 \end{array}$$

⑧
$$\begin{array}{r} \boxed{} \\ \times\ 7 \\ \hline 4\ 9 \end{array}$$

⑨
$$\begin{array}{r} \boxed{} \\ \times\ 6 \\ \hline 4\ 2 \end{array}$$

⑩
$$\begin{array}{r} \boxed{} \\ \times\ 5 \\ \hline 4\ 0 \end{array}$$

⑪
$$\begin{array}{r} 4 \\ \times\ \boxed{} \\ \hline 3\ 6 \end{array}$$

⑫
$$\begin{array}{r} 8 \\ \times\ \boxed{} \\ \hline 4\ 8 \end{array}$$

□에 알맞은 수를 써넣으세요.

① $7 \times \boxed{} = 14$

② $\boxed{} \times 6 = 42$

③ $\boxed{} \times 3 = 18$

④ $5 \times \boxed{} = 45$

⑤ $\boxed{} \times 2 = 16$

⑥ $4 \times \boxed{} = 24$

⑦ $\boxed{} \times 9 = 54$

⑧ $8 \times \boxed{} = 56$

⑨ $7 \times \boxed{} = 63$

⑩ $\boxed{} \times 3 = 15$

⑪ $\boxed{} \times 6 = 12$

⑫ $8 \times \boxed{} = 40$

⑬ $4 \times \boxed{} = 8$

⑭ $\boxed{} \times 2 = 10$

⑮ $\boxed{} \times 5 = 20$

⑯ $3 \times \boxed{} = 21$

벌레 먹은 곱셈 2

벌레가 종이를 먹어서 보이지 않는 수가 있습니다. □에 알맞은 수를 써넣으세요.

```
        3
   ×   [7]
  ─────────
   [2]  1
```

3 1은 3
3 2는 6
3 3은 9
3 4는 12
3 5는 15
3 6은 18
3 7은 ㉑

①
```
        7
   ×   [ ]
  ─────────
   [ ]  8
```

②
```
      [ ]
   ×    9
  ─────────
   [ ]  2
```

③
```
      [ ]
   ×    3
  ─────────
   [ ]  7
```

④
```
      [ ]
   ×    7
  ─────────
   [ ]  6
```

⑤
```
        9
   ×  [ ]
  ─────────
   [ ]  4
```

Tip

곱셈을 했을 때 일의 자리 수가 같은 곱셈구구를 찾아보세요. 5를 제외한 홀수의 곱인 3의 단, 7의 단, 9의 단은 일의 자리 수가 모두 달라요.

□에 알맞은 수를 써넣으세요.

①
$$
\begin{array}{r}
3 \\
\times \quad \boxed{} \\
\hline
\boxed{}\ 5
\end{array}
$$

②
$$
\begin{array}{r}
\boxed{} \\
\times \quad 7 \\
\hline
\boxed{}\ 2
\end{array}
$$

③
$$
\begin{array}{r}
\boxed{} \\
\times \quad 9 \\
\hline
\boxed{}\ 1
\end{array}
$$

④
$$
\begin{array}{r}
\boxed{} \\
\times \quad 7 \\
\hline
\boxed{}\ 4
\end{array}
$$

⑤
$$
\begin{array}{r}
9 \\
\times \quad \boxed{} \\
\hline
\boxed{}\ 8
\end{array}
$$

⑥
$$
\begin{array}{r}
\boxed{} \\
\times \quad 3 \\
\hline
\boxed{}\ 2
\end{array}
$$

⑦
$$
\begin{array}{r}
\boxed{} \\
\times \quad 9 \\
\hline
\boxed{}\ 6
\end{array}
$$

⑧
$$
\begin{array}{r}
3 \\
\times \quad \boxed{} \\
\hline
\boxed{}\ 4
\end{array}
$$

⑨
$$
\begin{array}{r}
7 \\
\times \quad \boxed{} \\
\hline
\boxed{}\ 5
\end{array}
$$

⑩
$$
\begin{array}{r}
3 \\
\times \quad \boxed{} \\
\hline
\boxed{}\ 8
\end{array}
$$

⑪
$$
\begin{array}{r}
\boxed{} \\
\times \quad 7 \\
\hline
\boxed{}\ 9
\end{array}
$$

⑫
$$
\begin{array}{r}
9 \\
\times \quad \boxed{} \\
\hline
\boxed{}\ 3
\end{array}
$$

벌레가 종이를 먹어서 보이지 않는 수가 있습니다. 서로 다른 2가지 답을 찾아서 □에 알맞은 수를 써넣으세요.

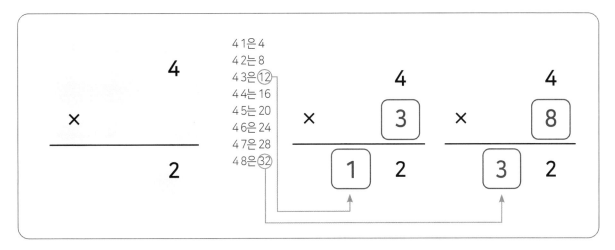

①

②

Tip 짝수의 곱인 2의 단, 4의 단, 6의 단, 8의 단은 같은 일의 자리 수가 나오는 곱셈이 2개씩 있어요.

벌레가 종이를 먹어서 보이지 않는 수가 있습니다. 서로 다른 2가지 답을 찾아서 □에 알맞은 수를 써넣으세요.

①

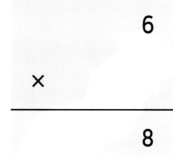

$$\begin{array}{r} 6 \\ \times \\ \hline 8 \end{array}$$

$$\begin{array}{r} 6 \\ \times \ \boxed{} \\ \hline \boxed{}\ 8 \end{array}$$

$$\begin{array}{r} 6 \\ \times \ \boxed{} \\ \hline \boxed{}\ 8 \end{array}$$

②

$$\begin{array}{r} 4 \\ \times \\ \hline 6 \end{array}$$

$$\begin{array}{r} 4 \\ \times \ \boxed{} \\ \hline \boxed{}\ 6 \end{array}$$

$$\begin{array}{r} 4 \\ \times \ \boxed{} \\ \hline \boxed{}\ 6 \end{array}$$

③

$$\begin{array}{r} 8 \\ \times \\ \hline 4 \end{array}$$

$$\begin{array}{r} 8 \\ \times \ \boxed{} \\ \hline \boxed{}\ 4 \end{array}$$

$$\begin{array}{r} 8 \\ \times \ \boxed{} \\ \hline \boxed{}\ 4 \end{array}$$

곱셈구구표

곱셈구구표의 색칠된 빈칸에 알맞은 수를 써넣으세요.

×		6		2	7		3	9
2	8	12	16	4	14	10	6	18

2×6=12

×	5		4	2	7		8	
	25	30	20	10	35	45	40	15

×		2	6		3	5		4
	49	14	42	56	21	35	63	28

×	3	7		2	9			6
	27	63	45	18	81	36	72	54

×	6		4	8		9	5	
	36	42	24	48	18	54	30	12

×		6	2		3	4		5
	32	24	8	36	12	16	28	20

곱셈구구표의 색칠된 빈칸에 알맞은 수를 써넣으세요.

×		4	
2	12	8	16
	54	36	72
	36	24	48

×			3
	20	28	12
6	30	42	18
	40	56	24

×	4		
	24	48	12
	12	24	6
5	20	40	10

×		4	
7	63	28	21
	45	20	15
	72	32	24

×			7
	35	21	49
6	30	18	42
	25	15	35

×	2		
	16	56	48
	10	35	30
3	6	21	18

연산 퍼즐

표의 안에 있는 가로, 세로의 두 수를 곱한 값을 표의 밖에 적었습니다. 색칠되지 않은 빈칸에 알맞은 수를 써넣으세요.

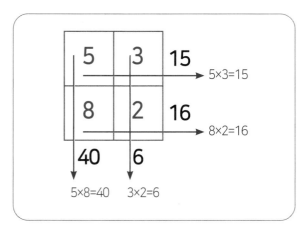

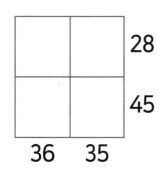

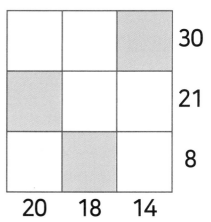

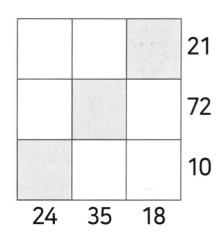

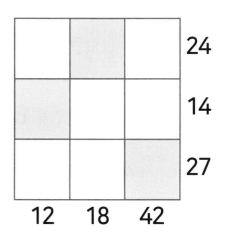

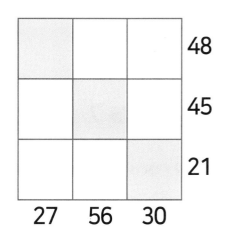

원숭이가 지나는 길의 두 수의 곱이 바나나의 수가 되도록 길을 그려 보세요.

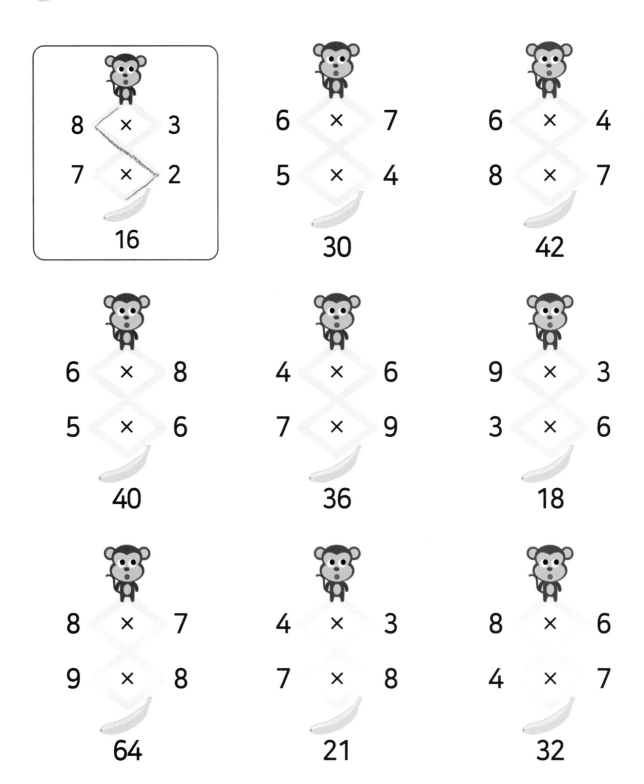

8	×	3
7	×	2
	16	

6	×	7
5	×	4
	30	

6	×	4
8	×	7
	42	

6	×	8
5	×	6
	40	

4	×	6
7	×	9
	36	

9	×	3
3	×	6
	18	

8	×	7
9	×	8
	64	

4	×	3
7	×	8
	21	

8	×	6
4	×	7
	32	

문장제

글과 그림을 보고 □가 있는 식을 세우고 답을 구하세요.

진영이는 이번 달이 생일인 친구들을 위해 선물 상자에 사탕을 포장하고 있습니다. 이번 달이 생일인 친구는 모두 7명입니다.

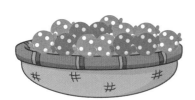 

★ 진영이는 선물 상자에 사탕을 똑같이 몇 개씩 넣은 후 사탕을 세어 보았더니 모두 56개를 사용하였습니다. 선물 상자에 사탕을 몇 개씩 넣었을까요?

식 : 7 × □ = 56   답 : 8 개

① 연필도 함께 선물하려고 똑같이 몇 개씩 넣었더니 연필을 모두 21자루 사용하였습니다. 선물 상자에 연필은 몇 자루씩 넣었을까요?

식 :   답 :   자루

🐌 문제를 읽고 ☐가 있는 식을 세우고 답을 구하세요.

① 진수네 반 친구들이 운동장에 가로로 4명씩 줄을 섰습니다. 진수네 반 친구들이 모두 24명일 때, 줄은 세로로 몇 줄일까요?

식 : _____   답 : _____ 줄

② 가족들이 추석에 송편을 만들었는데 어머니께서 송편을 8개씩 봉지에 똑같이 담으셨습니다. 가족들이 만든 송편이 모두 56개라면 송편이 들어 있는 봉지는 몇 개일까요?

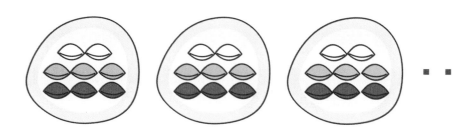

식 : _____   답 : _____ 개

문제를 읽고 ☐ 가 있는 식을 세우고 답을 구하세요.

① 선영이네 가족이 모두 모여서 귤을 먹는데 똑같이 몇 개씩을 먹었더니 순식간에 귤 20 개가 사라졌습니다. 선영이네 가족은 모두 5명일 때, 한 사람이 귤을 몇 개씩 먹었을까요?

식 : _____   답 : _____ 개

② 공원에 비둘기가 몇 마리 앉아 있는데 다리를 세어 보니 모두 18개입니다. 공원에 앉아 있는 비둘기는 몇 마리일까요?

식 : _____   답 : _____ 마리

③ 강우는 색연필을 여러 자루 가지고 있습니다. 어느 날 색연필을 세어 보니 색깔별로 똑같이 5자루씩 있는데 모두 45자루였다면 강우가 가지고 있는 색연필의 색깔은 몇 가지일까요?

식 : _____   답 : _____ 가지

문제를 읽고 □가 있는 식을 세우고 답을 구하세요.

① 수정이가 월요일에서 금요일까지 매일 같은 양으로 동화책 한 권을 읽었습니다. 토요일 아침에 확인해 보니 월요일부터 모두 25쪽을 읽었다면 매일 몇 쪽씩 읽은 것일까요?

식 : _____   답 : _____ 쪽

② 진수가 원리셈을 공부하고 있습니다. 1분에 6문제를 풀었는데 모두 풀고 보니 36문제를 풀었습니다. 진수가 오늘 원리셈을 공부하는 데 걸린 시간은 몇 분일까요?

식 : _____   답 : _____ 분

③ 영주는 마트에서 3개씩 묶음으로 판매하는 아이스크림을 15개 사 왔습니다. 영주가 마트에서 산 아이스크림은 몇 묶음일까요?

식 : _____   답 : _____ 묶음

• **2**주차 •
똑같은 묶음으로 나누기

나눗셈의 개념은 두 가지로 나눌 수 있습니다. "몇 묶음으로 나누면 한 묶음이 몇 개가 되는가"와 "똑같은 개수로 묶으면 몇 묶음을 만들 수 있는가"입니다. 2주차에서는 똑같이 나눌 때 한 묶음이 몇 개가 되는지를 찾는 나눗셈의 개념을 알고 곱셈과 나눗셈의 관계를 공부합니다.

똑같은 묶음으로 나누기

과일을 접시에 나누어 담은 그림을 보고 나눗셈식으로 나타내어 보세요.

> 🌳 12를 3으로 나누면 4가 됩니다.
>
> 🌳 이것을 12÷3=4로 쓰고 12 나누기 3은 4와 같습니다라고 읽습니다.

①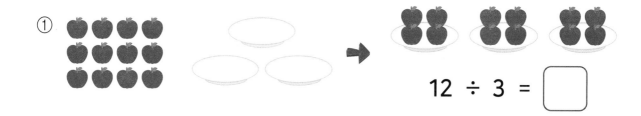

$$12 \div 3 = \boxed{}$$

②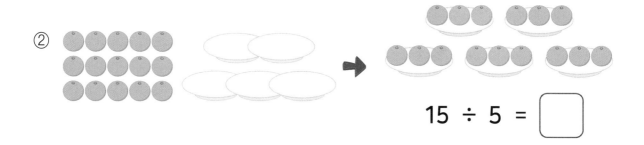

$$15 \div 5 = \boxed{}$$

③

$$8 \div 4 = \boxed{}$$

수를 접시 수에 맞게 나누어 덧셈으로 나타내고, 나눗셈식으로 바꾸어 나타내어 보세요.

20 = [4] + [4] + [4] + [4] + [4]

→ 20 ÷ 5 = [4]

① **15** = [ ] + [ ] + [ ]

→ 15 ÷ 3 = [ ]

② **32** = [ ] + [ ] + [ ] + [ ]

→ 32 ÷ 4 = [ ]

③ **25** = [ ] + [ ] + [ ] + [ ] + [ ]

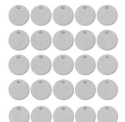

→ 25 ÷ 5 = [ ]

 수를 접시 수에 맞게 나누어 덧셈으로 나타내고, 나눗셈식으로 바꾸어 나타내어 보세요.

①   **8**   = ☐ + ☐ + ☐ + ☐

➡ 8 ÷ 4 = ☐

②   **16**   = ☐ + ☐

➡ 16 ÷ 2 = ☐

③   **27**   = ☐ + ☐ + ☐

➡ 27 ÷ 3 = ☐

④   **36**   = ☐ + ☐ + ☐ + ☐ + ☐ + ☐

➡ 36 ÷ 6 = ☐

🐛 □에 알맞은 수를 써넣으세요.

① 24 개는 ⬭ 4 개에 똑같이 ⬜ 개씩 담을 수 있습니다.

② 14 개는 ⬭ 7 개에 똑같이 ⬜ 개씩 담을 수 있습니다.

③ 63 개는 ⬭ 7 개에 똑같이 ⬜ 개씩 담을 수 있습니다.

④ 42 개는 ⬭ 6 개에 똑같이 ⬜ 개씩 담을 수 있습니다.

⑤ 16 개는 ⬭ 4 개에 똑같이 ⬜ 개씩 담을 수 있습니다.

⑥ 18 개는 ⬭ 3 개에 똑같이 ⬜ 개씩 담을 수 있습니다.

⑦ 25 개는 ⬭ 5 개에 똑같이 ⬜ 개씩 담을 수 있습니다.

곱셈과 나눗셈의 관계

🔔 그림을 보고 ☐에 알맞은 수를 써넣으세요.

①

구슬의 개수를 곱셈식으로 나타내면

$$\boxed{} \times 5 = \boxed{}$$

구슬을 2개의 상자에 나누어 담을 때
한 상자에 들어가는 구슬의 개수는

$$10 \div \boxed{} = \boxed{}$$

구슬을 5개의 상자에 나누어 담을 때
한 상자에 들어가는 구슬의 개수는

$$10 \div \boxed{} = \boxed{}$$

②

구슬의 개수를 곱셈식으로 나타내면

$$\boxed{} \times 3 = \boxed{}$$

구슬을 3개의 상자에 나누어 담을 때
한 상자에 들어가는 구슬의 개수는

$$18 \div \boxed{} = \boxed{}$$

구슬을 6개의 상자에 나누어 담을 때
한 상자에 들어가는 구슬의 개수는

$$18 \div \boxed{} = \boxed{}$$

그림을 보고 곱셈식 2개, 나눗셈식 2개로 나타내어 보세요.

①

$\boxed{} \times \boxed{} = \boxed{}$ $\boxed{} \div \boxed{} = \boxed{}$

$\boxed{} \times \boxed{} = \boxed{}$ $\boxed{} \div \boxed{} = \boxed{}$

②

$\boxed{} \times \boxed{} = \boxed{}$ $\boxed{} \div \boxed{} = \boxed{}$

$\boxed{} \times \boxed{} = \boxed{}$ $\boxed{} \div \boxed{} = \boxed{}$

③

```
0     5     10     15     20     25     30
```

$\boxed{} \times \boxed{} = \boxed{}$ $\boxed{} \div \boxed{} = \boxed{}$

$\boxed{} \times \boxed{} = \boxed{}$ $\boxed{} \div \boxed{} = \boxed{}$

곱셈식을 보고 나눗셈식 2개를 만들어 보세요.

①
$$5 \times 8 = 40$$
$$\boxed{} \div \boxed{} = \boxed{}$$
$$\boxed{} \div \boxed{} = \boxed{}$$

②
$$7 \times 9 = 63$$
$$\boxed{} \div \boxed{} = \boxed{}$$
$$\boxed{} \div \boxed{} = \boxed{}$$

③
$$3 \times 6 = 18$$
$$\boxed{} \div \boxed{} = \boxed{}$$
$$\boxed{} \div \boxed{} = \boxed{}$$

④
$$6 \times 7 = 42$$
$$\boxed{} \div \boxed{} = \boxed{}$$
$$\boxed{} \div \boxed{} = \boxed{}$$

3일 곱셈과 나눗셈의 몫

🌱 한 상자에 사탕을 몇 개씩 담으면 사탕을 모두 똑같이 담을 수 있는지 알아보려고 합니다. 곱셈식과 나눗셈식의 ☐ 에 알맞은 수를 써넣으세요.

🌳 나눗셈식 12÷3=4에서 4는 12를 3으로 나눈 몫이라고 합니다.

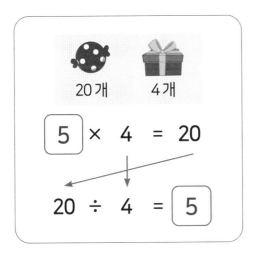

20 개   4 개

$\boxed{5} \times 4 = 20$

$20 \div 4 = \boxed{5}$

①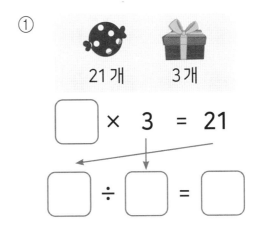

21 개   3 개

$\boxed{} \times 3 = 21$

$\boxed{} \div \boxed{} = \boxed{}$

②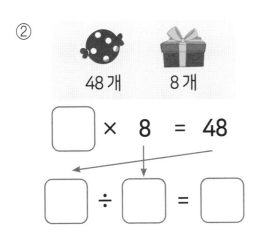

48 개   8 개

$\boxed{} \times 8 = 48$

$\boxed{} \div \boxed{} = \boxed{}$

③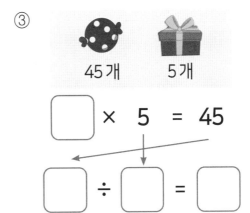

45 개   5 개

$\boxed{} \times 5 = 45$

$\boxed{} \div \boxed{} = \boxed{}$

한 상자에 사탕을 몇 개씩 담으면 사탕을 모두 똑같이 담을 수 있는지 알아보려고 합니다. 곱셈식과 나눗셈식의 □에 알맞은 수를 써넣으세요.

①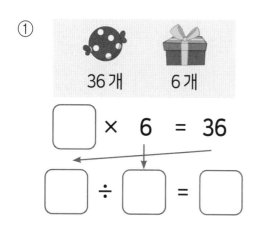

$$\boxed{} \times 6 = 36$$

$$\boxed{} \div \boxed{} = \boxed{}$$

②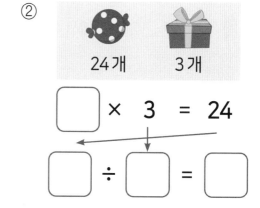

$$\boxed{} \times 3 = 24$$

$$\boxed{} \div \boxed{} = \boxed{}$$

③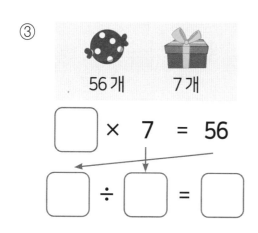

$$\boxed{} \times 7 = 56$$

$$\boxed{} \div \boxed{} = \boxed{}$$

④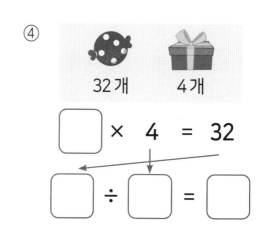

$$\boxed{} \times 4 = 32$$

$$\boxed{} \div \boxed{} = \boxed{}$$

⑤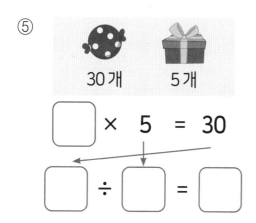

$$\boxed{} \times 5 = 30$$

$$\boxed{} \div \boxed{} = \boxed{}$$

⑥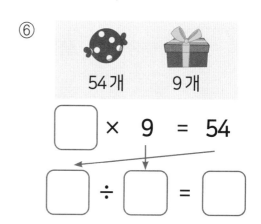

$$\boxed{} \times 9 = 54$$

$$\boxed{} \div \boxed{} = \boxed{}$$

곱셈식을 이용하여 나눗셈의 몫을 구해 보세요.

①
$$\boxed{} \times 6 = 36$$
$$36 \div 6 = \boxed{}$$

②
$$\boxed{} \times 9 = 45$$
$$45 \div 9 = \boxed{}$$

③
$$\boxed{} \times 8 = 24$$
$$24 \div 8 = \boxed{}$$

④
$$\boxed{} \times 2 = 16$$
$$16 \div 2 = \boxed{}$$

⑤
$$\boxed{} \times 4 = 28$$
$$28 \div 4 = \boxed{}$$

⑥
$$\boxed{} \times 5 = 40$$
$$40 \div 5 = \boxed{}$$

⑦
$$\boxed{} \times 3 = 21$$
$$21 \div 3 = \boxed{}$$

⑧
$$\boxed{} \times 7 = 42$$
$$42 \div 7 = \boxed{}$$

□에 알맞은 수를 써넣으세요.

① 24
$÷ 3 =$ □
$÷ 6 =$ □

② 18
$÷ 9 =$ □
$÷ 3 =$ □

③ 45
$÷ 9 =$ □
$÷ 5 =$ □

④ 36
$÷ 6 =$ □
$÷ 4 =$ □

⑤ 16
$÷ 4 =$ □
$÷ 8 =$ □

⑥ 28
$÷ 4 =$ □
$÷ 7 =$ □

⑦ 12
$÷ 2 =$ □
$÷ 3 =$ □

⑧ 32
$÷ 8 =$ □
$÷ 4 =$ □

○ 안의 수로 나눈 몫을 선으로 연결해 보세요.

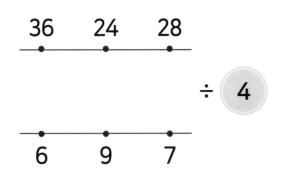

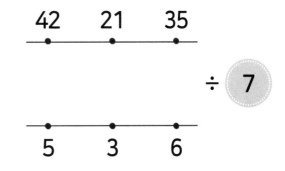

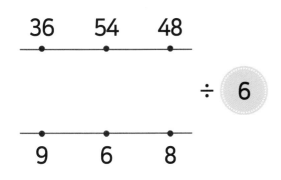

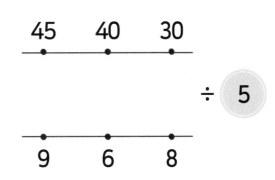

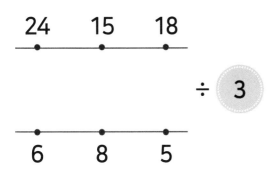

글과 그림을 보고 물음에 알맞은 식을 세우고 답을 구하세요.

다과상을 차리기 위해서 과자 24개를 접시에 나누어 담으려고 합니다.

★ 4개의 접시에 과자를 똑같이 나누어 담으려면 한 접시에 몇 개의 과자를 담으면 될까요?

식 : $24 \div 4 = 6$

답 : ___6___ 개

① 3개의 접시에 나누어 담으려면 한 접시에 몇 개의 과자를 담으면 될까요?

식 : _____

답 : _____ 개

✏️ 문제를 읽고 알맞은 식과 답을 써 보세요.

① 수학 캠프에 25명의 학생이 참여하였습니다. 입체 도형 만들기 수업을 하기 위해서 5개 모둠으로 나눈다면 한 모둠에는 몇 명의 학생들이 있을까요?

식 : _____　　답 : _____ 명

② 과일 가게에서 사과를 포장하여 팔고 있습니다. 54개의 사과를 6봉지에 똑같이 담아서 포장하려면 한 봉지에 사과를 몇 개씩 넣으면 될까요?

식 : _____　　답 : _____ 개

③ 4명인 수정이네 가족이 집에서 새우를 구워 먹으려고 합니다. 아버지가 사 오신 새우 36마리를 똑같이 나누어 먹는다면 한 사람이 몇 마리씩 먹을 수 있을까요?

식 : _____　　답 : _____ 마리

④ 진규가 12개의 바둑돌을 똑같이 나누어 보고 있습니다. 바둑돌을 4묶음으로 나눈다면 한 묶음에 몇 개의 바둑돌이 들어갈까요?

식 : _____　　답 : _____ 개

문제를 읽고 알맞은 식과 답을 써 보세요.

① 체육관에 농구공 16개가 보관되어 있습니다. 농구공을 8개의 그물망에 똑같이 넣어 보관하고 있다면 그물망 하나에 들어 있는 농구공은 몇 개일까요?

식 : _____ 답 : _____ 개

② 진규는 이번 주에 숙제로 28쪽의 책을 읽어야 합니다. 일요일에서 토요일까지 일주일 동안 책을 똑같이 읽어서 숙제를 하려면 하루에 몇 쪽씩 읽어야 할까요?

식 : _____ 답 : _____ 쪽

③ 지용이네 집에는 강아지를 5마리 키웁니다. 강아지들에게 간식 20개를 똑같이 나누어 주려면 한 마리에게 간식을 몇 개씩 주면 될까요?

식 : _____ 답 : _____ 개

④ 놀이공원의 청룡열차는 모두 7칸입니다. 우진이네 반 21명이 열차를 한 번에 타려면 한 칸에 몇 명이 타야 할까요?

식 : _____ 답 : _____ 명

· **3**주차 ·

도전! 계산왕

곱셈구구 범위의 나눗셈

곱셈식을 이용하여 나눗셈의 몫을 구해 보세요.

① $\boxed{} \times 4 = 16$

$16 \div 4 = \boxed{}$

② $\boxed{} \times 8 = 32$

$32 \div 8 = \boxed{}$

③ $\boxed{} \times 9 = 18$

$18 \div 9 = \boxed{}$

④ $\boxed{} \times 2 = 16$

$16 \div 2 = \boxed{}$

⑤ $\boxed{} \times 7 = 49$

$49 \div 7 = \boxed{}$

⑥ $\boxed{} \times 8 = 64$

$64 \div 8 = \boxed{}$

⑦ $\boxed{} \times 5 = 30$

$30 \div 5 = \boxed{}$

⑧ $\boxed{} \times 6 = 42$

$42 \div 6 = \boxed{}$

⑨ $\boxed{} \times 8 = 24$

$24 \div 8 = \boxed{}$

⑩ $\boxed{} \times 3 = 18$

$18 \div 3 = \boxed{}$

곱셈구구 범위의 나눗셈

❓ 곱셈식을 이용하여 나눗셈의 몫을 구해 보세요.

① $\boxed{} \times 6 = 42$

$42 \div 6 = \boxed{}$

② $\boxed{} \times 7 = 35$

$35 \div 7 = \boxed{}$

③ $\boxed{} \times 3 = 27$

$27 \div 3 = \boxed{}$

④ $\boxed{} \times 8 = 48$

$48 \div 8 = \boxed{}$

⑤ $\boxed{} \times 4 = 36$

$36 \div 4 = \boxed{}$

⑥ $\boxed{} \times 2 = 16$

$16 \div 2 = \boxed{}$

⑦ $\boxed{} \times 5 = 45$

$45 \div 5 = \boxed{}$

⑧ $\boxed{} \times 9 = 63$

$63 \div 9 = \boxed{}$

⑨ $\boxed{} \times 4 = 28$

$28 \div 4 = \boxed{}$

⑩ $\boxed{} \times 8 = 72$

$72 \div 8 = \boxed{}$

곱셈구구 범위의 나눗셈

💡 곱셈식을 이용하여 나눗셈의 몫을 구해 보세요.

① $\square \times 3 = 12$

$12 \div 3 = \square$

② $\square \times 9 = 54$

$54 \div 9 = \square$

③ $\square \times 6 = 54$

$54 \div 6 = \square$

④ $\square \times 2 = 12$

$12 \div 2 = \square$

⑤ $\square \times 7 = 56$

$56 \div 7 = \square$

⑥ $\square \times 8 = 32$

$32 \div 8 = \square$

⑦ $\square \times 5 = 40$

$40 \div 5 = \square$

⑧ $\square \times 4 = 28$

$28 \div 4 = \square$

⑨ $\square \times 7 = 21$

$21 \div 7 = \square$

⑩ $\square \times 6 = 42$

$42 \div 6 = \square$

2일 ❷

곱셈구구 범위의 나눗셈

💡 곱셈식을 이용하여 나눗셈의 몫을 구해 보세요.

① ☐ × 5 = 25
　25 ÷ 5 = ☐

② ☐ × 8 = 64
　64 ÷ 8 = ☐

③ ☐ × 9 = 72
　72 ÷ 9 = ☐

④ ☐ × 3 = 18
　18 ÷ 3 = ☐

⑤ ☐ × 7 = 28
　28 ÷ 7 = ☐

⑥ ☐ × 8 = 24
　24 ÷ 8 = ☐

⑦ ☐ × 2 = 8
　8 ÷ 2 = ☐

⑧ ☐ × 5 = 45
　45 ÷ 5 = ☐

⑨ ☐ × 9 = 36
　36 ÷ 9 = ☐

⑩ ☐ × 7 = 42
　42 ÷ 7 = ☐

곱셈구구 범위의 나눗셈

💡 곱셈식을 이용하여 나눗셈의 몫을 구해 보세요.

① ☐ × 4 = 20

20 ÷ 4 = ☐

② ☐ × 8 = 24

24 ÷ 8 = ☐

③ ☐ × 9 = 81

81 ÷ 9 = ☐

④ ☐ × 2 = 6

6 ÷ 2 = ☐

⑤ ☐ × 7 = 35

35 ÷ 7 = ☐

⑥ ☐ × 8 = 48

48 ÷ 8 = ☐

⑦ ☐ × 5 = 35

35 ÷ 5 = ☐

⑧ ☐ × 6 = 36

36 ÷ 6 = ☐

⑨ ☐ × 8 = 72

72 ÷ 8 = ☐

⑩ ☐ × 3 = 24

24 ÷ 3 = ☐

곱셈구구 범위의 나눗셈

💡 곱셈식을 이용하여 나눗셈의 몫을 구해 보세요.

① $\boxed{} \times 3 = 9$

$9 \div 3 = \boxed{}$

② $\boxed{} \times 7 = 21$

$21 \div 7 = \boxed{}$

③ $\boxed{} \times 3 = 24$

$24 \div 3 = \boxed{}$

④ $\boxed{} \times 8 = 64$

$64 \div 8 = \boxed{}$

⑤ $\boxed{} \times 7 = 42$

$42 \div 7 = \boxed{}$

⑥ $\boxed{} \times 8 = 56$

$56 \div 8 = \boxed{}$

⑦ $\boxed{} \times 5 = 15$

$15 \div 5 = \boxed{}$

⑧ $\boxed{} \times 6 = 48$

$48 \div 6 = \boxed{}$

⑨ $\boxed{} \times 9 = 18$

$18 \div 9 = \boxed{}$

⑩ $\boxed{} \times 7 = 49$

$49 \div 7 = \boxed{}$

곱셈구구 범위의 나눗셈

💡 곱셈식을 이용하여 나눗셈의 몫을 구해 보세요.

① $\boxed{} \times 3 = 18$

    $18 \div 3 = \boxed{}$

② $\boxed{} \times 5 = 35$

    $35 \div 5 = \boxed{}$

③ $\boxed{} \times 2 = 10$

    $10 \div 2 = \boxed{}$

④ $\boxed{} \times 4 = 28$

    $28 \div 4 = \boxed{}$

⑤ $\boxed{} \times 4 = 36$

    $36 \div 4 = \boxed{}$

⑥ $\boxed{} \times 8 = 32$

    $32 \div 8 = \boxed{}$

⑦ $\boxed{} \times 2 = 16$

    $16 \div 2 = \boxed{}$

⑧ $\boxed{} \times 7 = 28$

    $28 \div 7 = \boxed{}$

⑨ $\boxed{} \times 8 = 64$

    $64 \div 8 = \boxed{}$

⑩ $\boxed{} \times 3 = 27$

    $27 \div 3 = \boxed{}$

4일 ❷

곱셈구구 범위의 나눗셈

💡 곱셈식을 이용하여 나눗셈의 몫을 구해 보세요.

① ☐ × 9 = 27

27 ÷ 9 = ☐

② ☐ × 8 = 24

24 ÷ 8 = ☐

③ ☐ × 6 = 18

18 ÷ 6 = ☐

④ ☐ × 7 = 49

49 ÷ 7 = ☐

⑤ ☐ × 6 = 42

42 ÷ 6 = ☐

⑥ ☐ × 8 = 48

48 ÷ 8 = ☐

⑦ ☐ × 5 = 40

40 ÷ 5 = ☐

⑧ ☐ × 2 = 12

12 ÷ 2 = ☐

⑨ ☐ × 9 = 63

63 ÷ 9 = ☐

⑩ ☐ × 3 = 24

24 ÷ 3 = ☐

5일 ❶

곱셈구구 범위의 나눗셈

🎈 곱셈식을 이용하여 나눗셈의 몫을 구해 보세요.

① ☐ × 6 = 36

36 ÷ 6 = ☐

② ☐ × 8 = 24

24 ÷ 8 = ☐

③ ☐ × 9 = 54

54 ÷ 9 = ☐

④ ☐ × 3 = 18

18 ÷ 3 = ☐

⑤ ☐ × 7 = 28

28 ÷ 7 = ☐

⑥ ☐ × 7 = 49

49 ÷ 7 = ☐

⑦ ☐ × 5 = 10

10 ÷ 5 = ☐

⑧ ☐ × 2 = 18

18 ÷ 2 = ☐

⑨ ☐ × 4 = 28

28 ÷ 4 = ☐

⑩ ☐ × 3 = 15

15 ÷ 3 = ☐

곱셈구구 범위의 나눗셈

공부한 날	월 일
점 수	/ 10

💡 곱셈식을 이용하여 나눗셈의 몫을 구해 보세요.

① ☐ × 4 = 32

32 ÷ 4 = ☐

② ☐ × 9 = 36

36 ÷ 9 = ☐

③ ☐ × 3 = 21

21 ÷ 3 = ☐

④ ☐ × 5 = 45

45 ÷ 5 = ☐

⑤ ☐ × 6 = 36

36 ÷ 6 = ☐

⑥ ☐ × 8 = 48

48 ÷ 8 = ☐

⑦ ☐ × 2 = 16

16 ÷ 2 = ☐

⑧ ☐ × 7 = 42

42 ÷ 7 = ☐

⑨ ☐ × 8 = 64

64 ÷ 8 = ☐

⑩ ☐ × 9 = 81

81 ÷ 9 = ☐

• 4주차 •
똑같이 덜어내기

똑같이 묶을 때 몇 묶음으로 나눌 수 있는지 찾는 나눗셈의 개념을 알고 나눗셈을 공부합니다. 똑같은 개수로 묶을 때 필요한 묶음의 수는 전체 개수에서 똑같은 개수로 몇 번을 뺄 수 있는 지와 같습니다.

똑같이 덜어내기

동영상 해설

사탕을 똑같은 개수로 몇 묶음을 만들 수 있는지 알아보고, 나눗셈으로 나타내어 보세요.

① **3** 개씩 ☐ 묶음

$18 \div 3 =$ ☐

② **6** 개씩 ☐ 묶음

$18 \div 6 =$ ☐

③ **4** 개씩 ☐ 묶음

$20 \div 4 =$ ☐

④ **5** 개씩 ☐ 묶음

$20 \div 5 =$ ☐

⑤ **6** 개씩 ☐ 묶음

$24 \div 6 =$ ☐

⑥ **4** 개씩 ☐ 묶음

$24 \div 4 =$ ☐

Tip

2주차에서 다룬 나눗셈은 12를 3묶음으로 나누면 한 묶음에 몇 개씩인지를 구하는 나눗셈이고, 4주차에서 다루는 나눗셈은 12를 3개씩 묶으면 몇 묶음이 만들어지는지를 구하는 나눗셈입니다.

어떤 수를 몇 씩 빼면 모두 몇 번 뺄 수 있는지 알아보고, 곱셈식으로 나타내어 보세요.

① 12를 4씩 빼면

$$12 - \boxed{} - \boxed{} - \boxed{} = 0$$

$$4 \times \boxed{} = 12$$

② 28을 7씩 빼면

$$28 - \boxed{} - \boxed{} - \boxed{} - \boxed{} = 0$$

$$7 \times \boxed{} = 28$$

③ 25를 5씩 빼면

$$25 - \boxed{} - \boxed{} - \boxed{} - \boxed{} - \boxed{} = 0$$

$$5 \times \boxed{} = 25$$

④ 27을 9씩 빼면

$$27 - \boxed{} - \boxed{} - \boxed{} = 0$$

$$9 \times \boxed{} = 27$$

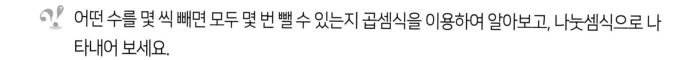

어떤 수를 몇 씩 빼면 모두 몇 번 뺄 수 있는지 곱셈식을 이용하여 알아보고, 나눗셈식으로 나타내어 보세요.

① 12를 3씩 빼면

$3 \times \boxed{} = 12$

$12 \div 3 = \boxed{}$

② 35를 5씩 빼면

$5 \times \boxed{} = 35$

$35 \div 5 = \boxed{}$

③ 14를 7씩 빼면

$7 \times \boxed{} = 14$

$14 \div 7 = \boxed{}$

④ 36을 9씩 빼면

$9 \times \boxed{} = 36$

$36 \div 9 = \boxed{}$

⑤ 30을 6씩 빼면

$6 \times \boxed{} = 30$

$30 \div 6 = \boxed{}$

⑥ 42를 7씩 빼면

$7 \times \boxed{} = 42$

$42 \div 7 = \boxed{}$

⑦ 24를 8씩 빼면

$8 \times \boxed{} = 24$

$24 \div 8 = \boxed{}$

⑧ 15를 3씩 빼면

$3 \times \boxed{} = 15$

$15 \div 3 = \boxed{}$

□에 알맞은 수를 써넣으세요.

① 24 개는 4개씩 담으려면 ⬭가 ☐ 개 필요합니다.

② 16 개는 2개씩 담으려면 ⬭가 ☐ 개 필요합니다.

③ 35 개는 7개씩 담으려면 ⬭가 ☐ 개 필요합니다.

④ 54 개는 9개씩 담으려면 ⬭가 ☐ 개 필요합니다.

⑤ 48 개는 8개씩 담으려면 ⬭가 ☐ 개 필요합니다.

⑥ 21 개는 3개씩 담으려면 ⬭가 ☐ 개 필요합니다.

⑦ 28 개는 4개씩 담으려면 ⬭가 ☐ 개 필요합니다.

뺄셈식과 나눗셈

🎵 뺄셈식을 나눗셈식으로 나타내어 보세요.

$12 - 4 - 4 - 4 = 0$

$\boxed{12} \div \boxed{4} = \boxed{3}$

① $21 - 7 - 7 - 7 = 0$

$\boxed{} \div \boxed{} = \boxed{}$

② $30 - 6 - 6 - 6 - 6 - 6 = 0$

$\boxed{} \div \boxed{} = \boxed{}$

③ $16 - 4 - 4 - 4 - 4 = 0$

$\boxed{} \div \boxed{} = \boxed{}$

④ $36 - 9 - 9 - 9 - 9 = 0$

$\boxed{} \div \boxed{} = \boxed{}$

⑤ $24 - 8 - 8 - 8 = 0$

$\boxed{} \div \boxed{} = \boxed{}$

⑥ $36 - 6 - 6 - 6 - 6 - 6 - 6 = 0$

$\boxed{} \div \boxed{} = \boxed{}$

⑦ $63 - 7 - 7 - 7 - 7 - 7 - 7 - 7 - 7 - 7 = 0$

$\boxed{} \div \boxed{} = \boxed{}$

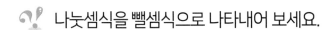 나눗셈식을 뺄셈식으로 나타내어 보세요.

18 ÷ 6 = 3

식 : 18 - 6 - 6 - 6 = 0

① 72 ÷ 9 = 8

식 :

② 64 ÷ 8 = 8

식 :

③ 42 ÷ 7 = 6

식 :

④ 40 ÷ 8 = 5

식 :

관계있는 식끼리 선으로 이어 보세요.

$5 \times 3 = 15$ • 　　• $35 \div 7 = 5$ • 　　• $32 - 8 - 8 - 8 - 8 = 0$

$7 \times 5 = 35$ • 　　• $10 \div 5 = 2$ • 　　• $10 - 5 - 5 = 0$

$8 \times 4 = 32$ • 　　• $15 \div 5 = 3$ • 　　• $35 - 7 - 7 - 7 - 7 - 7 = 0$

$5 \times 2 = 10$ • 　　• $32 \div 8 = 4$ • 　　• $24 - 6 - 6 - 6 - 6 = 0$

$6 \times 4 = 24$ • 　　• $24 \div 6 = 4$ • 　　• $15 - 5 - 5 - 5 = 0$

나눌 수 있는 수

💡 똑같이 나눌 수 없는 수는 ✕표를 하고, 나눌 수 있는 수는 ☐에 몫을 써넣으세요.

16 ÷
- 8 = 2
- ~~5~~ = ☐
- 4 = 4

30 ÷
- 4 = ☐
- 5 = ☐
- 6 = ☐

63 ÷
- 7 = ☐
- 8 = ☐
- 9 = ☐

24 ÷
- 8 = ☐
- 3 = ☐
- 4 = ☐

32 ÷
- 6 = ☐
- 8 = ☐
- 4 = ☐

28 ÷
- 4 = ☐
- 6 = ☐
- 7 = ☐

○ 안의 수를 똑같이 나눌 수 있는 수를 모두 색칠하세요.

18

2	3	5
6	7	9

21

3	4	5
6	7	9

35

4	5	6
7	8	9

12

2	3	4
6	8	9

25

4	5	6
7	8	9

16

3	4	5
6	7	8

15

2	3	4
5	6	8

24

3	4	5
6	8	9

36

4	5	6
7	8	9

14

2	3	4
6	7	8

30

4	5	6
7	8	9

42

4	5	6
7	8	9

연산 퍼즐

□에 알맞은 수를 써넣으세요.

$36 \div 4 = \boxed{}$

$\div$

6

$\boxed{} \times 2 = \boxed{}$

$\div$

3

$=$

$32 \div \boxed{} = \boxed{}$

$42 \div 7 = \boxed{}$

$\times$

$28 \div 4 = \boxed{}$

$=$

$\boxed{} \div 3 = \boxed{}$

$72 \qquad 3$

$\div \qquad \times$

$54 \div 9 = \boxed{}$

$= \qquad =$

$\boxed{} \qquad \boxed{} \div 2 = \boxed{}$

○ 안의 수를 나눌 수 있는 수와 나누었을 때의 몫을 연결해 보세요.

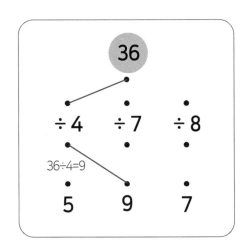

36		
÷ 4	÷ 7	÷ 8
36÷4=9		
5	9	7

72		
÷ 5	÷ 8	÷ 7
9	6	8

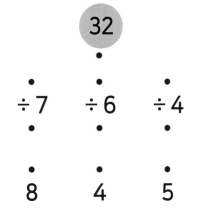

32		
÷ 7	÷ 6	÷ 4
8	4	5

35		
÷ 5	÷ 8	÷ 6
9	7	4

42		
÷ 6	÷ 8	÷ 9
7	9	8

21		
÷ 3	÷ 4	÷ 8
4	6	7

5일

문장제

글과 그림을 보고 물음에 알맞은 식을 세우고 답을 구하세요.

선생님이 일기를 잘 쓴 학생들에게 상으로 주려고 연필 15자루를 가지고 왔습니다. 상을 받을 학생의 수는 아직 정해지지 않았습니다.

★ 연필을 5자루씩 주면 몇 명의 학생이 상을 받을 수 있을까요?

식 : 15 ÷ 5 = 3   답 : 3 명

① 연필을 3자루씩 주면 몇 명의 학생이 상을 받을 수 있을까요?

식 : _____   답 : _____ 명

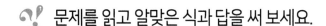

문제를 읽고 알맞은 식과 답을 써 보세요.

① 탁구공 16개를 4개씩 상자에 나누어 담으려고 합니다. 몇 개의 상자가 필요할까요?

식 : _____ 답 : _____ 개

② 종인이네 냉장고에 달걀 20개가 있습니다. 4명의 가족이 각각 하루에 한 개씩 달걀을 반찬으로 먹으면 달걀을 며칠 동안 먹을 수 있을까요?

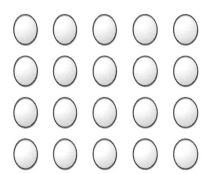

식 : _____ 답 : _____ 일

문제를 읽고 알맞은 식과 답을 써 보세요.

① 농구 경기장에 35명의 학생이 모여 있습니다. 한 팀에 5명씩 팀을 나누어 경기를 하려고 합니다. 몇 개의 팀으로 나눌 수 있을까요?

식 : _____   답 : _____ 팀

② 64쪽짜리 책을 하루에 8쪽씩 읽으면 한 권을 다 읽는 데 며칠이 걸릴까요?

식 : _____   답 : _____ 일

③ 교실에 책상을 놓으려고 하는데 한 줄에 6개씩 놓아야 합니다. 30개의 책상을 놓으면 몇 줄이 될까요?

식 : _____   답 : _____ 줄

문제를 읽고 알맞은 식과 답을 써 보세요.

① 과자가 모두 81개 있습니다. 과자를 접시에 9개씩 담으려면 몇 개의 접시가 필요할까요?

식 : _____ 답 : _____ 개

② 72개의 사탕을 포장하여 친구들에게 선물하려고 합니다. 8개씩 포장하면 몇 명에게 선물할 수 있을까요?

식 : _____ 답 : _____ 명

③ 과자 28개를 친구들과 나누어 먹으려고 합니다. 한 사람이 4개씩 먹으면 몇 명이 나누어 먹을 수 있을까요?

식 : _____ 답 : _____ 명

• **5**주차 •
나눗셈구구

2주차, 4주차에서 나눗셈을 두 가지 개념으로 나누어 공부하였는데, 나눗셈을 적용하여 계산하는 데는 차이가 없습니다. 5주차에서 남는 것 없이 나누어지는 한 자리 나눗셈구구로 전반적인 연습이 되도록 하였습니다.

2의 단, 4의 단

□에 알맞은 수를 써넣으세요.

① $18 \div 2 = \boxed{}$

② $16 \div 2 = \boxed{}$

③ $14 \div 2 = \boxed{}$

④ $12 \div 2 = \boxed{}$

⑤ $10 \div 2 = \boxed{}$

⑥ $8 \div 2 = \boxed{}$

⑦ $6 \div 2 = \boxed{}$

⑧ $4 \div 2 = \boxed{}$

⑨ $2 \div 2 = \boxed{}$

□에 알맞은 수를 써넣으세요.

① $36 \div 4 = \boxed{}$

② $32 \div 4 = \boxed{}$

③ $28 \div 4 = \boxed{}$

④ $24 \div 4 = \boxed{}$

⑤ $20 \div 4 = \boxed{}$

⑥ $16 \div 4 = \boxed{}$

⑦ $12 \div 4 = \boxed{}$

⑧ $8 \div 4 = \boxed{}$

⑨ $4 \div 4 = \boxed{}$

🔍 12개의 공을 1개의 상자에 담으면 12개를 모두 담아야 하는 것처럼 1은 어떤 수를 나누어도 몫이 나눈 수와 같습니다.

$$12 \div 1 = 12$$

🔍 계산해 보세요.

① $16 \div 2 =$ ② $24 \div 4 =$

③ $28 \div 4 =$ ④ $14 \div 2 =$

⑤ $8 \div 2 =$ ⑥ $10 \div 2 =$

⑦ $32 \div 4 =$ ⑧ $18 \div 2 =$

⑨ $12 \div 4 =$ ⑩ $16 \div 2 =$

⑪ $8 \div 1 =$ ⑫ $20 \div 4 =$

5의 단, 9의 단

□에 알맞은 수를 써넣으세요.

① $45 \div 5 = \boxed{}$

② $40 \div 5 = \boxed{}$

③ $35 \div 5 = \boxed{}$

④ $30 \div 5 = \boxed{}$

⑤ $25 \div 5 = \boxed{}$

⑥ $20 \div 5 = \boxed{}$

⑦ $15 \div 5 = \boxed{}$

⑧ $10 \div 5 = \boxed{}$

⑨ $5 \div 5 = \boxed{}$

□에 알맞은 수를 써넣으세요.

① $81 \div 9 = \boxed{}$

② $72 \div 9 = \boxed{}$

③ $63 \div 9 = \boxed{}$

④ $54 \div 9 = \boxed{}$

⑤ $45 \div 9 = \boxed{}$

⑥ $36 \div 9 = \boxed{}$

⑦ $27 \div 9 = \boxed{}$

⑧ $18 \div 9 = \boxed{}$

⑨ $9 \div 9 = \boxed{}$

🎈 계산해 보세요.

① 15 ÷ 5 =

② 81 ÷ 9 =

③ 27 ÷ 9 =

④ 5 ÷ 5 =

⑤ 72 ÷ 9 =

⑥ 30 ÷ 5 =

⑦ 40 ÷ 5 =

⑧ 45 ÷ 9 =

⑨ 35 ÷ 5 =

⑩ 20 ÷ 5 =

⑪ 36 ÷ 9 =

⑫ 18 ÷ 9 =

⑬ 54 ÷ 9 =

⑭ 25 ÷ 5 =

⑮ 63 ÷ 9 =

⑯ 10 ÷ 5 =

3의 단, 6의 단

□에 알맞은 수를 써넣으세요.

① $27 \div 3 = \boxed{}$

② $24 \div 3 = \boxed{}$

③ $21 \div 3 = \boxed{}$

④ $18 \div 3 = \boxed{}$

⑤ $15 \div 3 = \boxed{}$

⑥ $12 \div 3 = \boxed{}$

⑦ $9 \div 3 = \boxed{}$

⑧ $6 \div 3 = \boxed{}$

⑨ $3 \div 3 = \boxed{}$

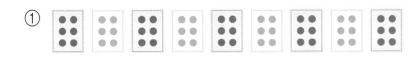 에 알맞은 수를 써넣으세요.

① $54 \div 6 = \boxed{}$

② $48 \div 6 = \boxed{}$

③ $42 \div 6 = \boxed{}$

④ $36 \div 6 = \boxed{}$

⑤ $30 \div 6 = \boxed{}$

⑥ $24 \div 6 = \boxed{}$

⑦ $18 \div 6 = \boxed{}$

⑧ $12 \div 6 = \boxed{}$

⑨ $6 \div 6 = \boxed{}$

① 27 ÷ 3 =

② 48 ÷ 6 =

③ 30 ÷ 6 =

④ 21 ÷ 3 =

⑤ 18 ÷ 3 =

⑥ 42 ÷ 6 =

⑦ 12 ÷ 3 =

⑧ 24 ÷ 6 =

⑨ 54 ÷ 6 =

⑩ 15 ÷ 3 =

⑪ 6 ÷ 6 =

⑫ 18 ÷ 6 =

⑬ 36 ÷ 6 =

⑭ 12 ÷ 6 =

⑮ 9 ÷ 3 =

⑯ 6 ÷ 3 =

7의 단, 8의 단

 □에 알맞은 수를 써넣으세요.

① $63 \div 7 =$ ⬜

② $56 \div 7 =$ ⬜

③ $49 \div 7 =$ ⬜

④ $42 \div 7 =$ ⬜

⑤ $35 \div 7 =$ ⬜

⑥ $28 \div 7 =$ ⬜

⑦ $21 \div 7 =$ ⬜

⑧ $14 \div 7 =$ ⬜

⑨ $7 \div 7 =$ ⬜

□에 알맞은 수를 써넣으세요.

① $72 \div 8 = \boxed{}$

② $64 \div 8 = \boxed{}$

③ $56 \div 8 = \boxed{}$

④ $48 \div 8 = \boxed{}$

⑤ $40 \div 8 = \boxed{}$

⑥ $32 \div 8 = \boxed{}$

⑦ $24 \div 8 = \boxed{}$

⑧ $16 \div 8 = \boxed{}$

⑨ $8 \div 8 = \boxed{}$

計산해 보세요.

① 42 ÷ 7 =

② 48 ÷ 8 =

③ 63 ÷ 7 =

④ 64 ÷ 8 =

⑤ 56 ÷ 8 =

⑥ 35 ÷ 7 =

⑦ 21 ÷ 7 =

⑧ 49 ÷ 7 =

⑨ 72 ÷ 8 =

⑩ 40 ÷ 8 =

⑪ 56 ÷ 7 =

⑫ 24 ÷ 8 =

⑬ 32 ÷ 8 =

⑭ 28 ÷ 7 =

⑮ 14 ÷ 7 =

⑯ 16 ÷ 8 =

연산 퍼즐

계산 결과에 알맞게 길을 그려 보세요.

$24 \div \begin{matrix} 3 \\ 6 \end{matrix} = 8$

$36 \div \begin{matrix} 9 \\ 6 \end{matrix} = 6$

$72 \div \begin{matrix} 9 \\ 8 \end{matrix} = 9$

$18 \div \begin{matrix} 6 \\ 7 \end{matrix} = 3$

$35 \div \begin{matrix} 5 \\ 6 \end{matrix} = 7$

$64 \div \begin{matrix} 8 \\ 9 \end{matrix} = 8$

$56 \div \begin{matrix} 8 \\ 7 \end{matrix} = 8$

$42 \div \begin{matrix} 6 \\ 8 \end{matrix} = 7$

$16 \div \begin{matrix} 3 \\ 4 \end{matrix} = 4$

$21 \div \begin{matrix} 7 \\ 6 \end{matrix} = 3$

계산 결과가 올바른 칸을 모두 색칠해 보세요.

$12 \div 6 = 2$	$49 \div 7 = 7$	$35 \div 5 = 7$
$40 \div 8 = 5$	$32 \div 4 = 7$	$36 \div 6 = 6$
$63 \div 7 = 8$	$42 \div 5 = 7$	$25 \div 5 = 5$
$15 \div 4 = 4$	$27 \div 9 = 4$	$8 \div 2 = 4$
$20 \div 3 = 5$	$64 \div 8 = 9$	$72 \div 8 = 9$

$18 \div 3 = 6$	$81 \div 9 = 8$	$36 \div 4 = 9$
$45 \div 9 = 5$	$56 \div 8 = 6$	$30 \div 5 = 6$
$28 \div 4 = 7$	$21 \div 7 = 3$	$24 \div 6 = 4$
$16 \div 2 = 9$	$24 \div 3 = 7$	$42 \div 6 = 7$
$6 \div 2 = 2$	$9 \div 3 = 6$	$48 \div 8 = 6$

계산 결과가 같은 것끼리 선으로 이어 보세요.

24 ÷ 8 •   • 25 ÷ 5

18 ÷ 9 •   • 14 ÷ 7

49 ÷ 7 •   • 15 ÷ 5

24 ÷ 4 •   • 72 ÷ 9

45 ÷ 9 •   • 42 ÷ 6

48 ÷ 6 •   • 36 ÷ 6

· **6**주차 ·

도전! 계산왕

곱셈구구 범위의 나눗셈

나눗셈을 계산하세요.

① $42 \div 7 =$

② $35 \div 7 =$

③ $81 \div 9 =$

④ $21 \div 3 =$

⑤ $8 \div 2 =$

⑥ $24 \div 8 =$

⑦ $63 \div 7 =$

⑧ $14 \div 2 =$

⑨ $24 \div 6 =$

⑩ $45 \div 5 =$

⑪ $16 \div 2 =$

⑫ $64 \div 8 =$

⑬ $8 \div 4 =$

⑭ $63 \div 9 =$

⑮ $6 \div 2 =$

⑯ $10 \div 2 =$

⑰ $32 \div 4 =$

⑱ $28 \div 7 =$

⑲ $54 \div 9 =$

⑳ $12 \div 3 =$

㉑ $15 \div 5 =$

㉒ $18 \div 2 =$

㉓ $16 \div 8 =$

㉔ $18 \div 9 =$

곱셈구구 범위의 나눗셈

나눗셈을 계산하세요.

① $27 \div 9 =$

② $18 \div 2 =$

③ $18 \div 9 =$

④ $4 \div 2 =$

⑤ $6 \div 2 =$

⑥ $30 \div 6 =$

⑦ $36 \div 4 =$

⑧ $72 \div 8 =$

⑨ $45 \div 9 =$

⑩ $24 \div 8 =$

⑪ $14 \div 2 =$

⑫ $27 \div 3 =$

⑬ $12 \div 2 =$

⑭ $40 \div 5 =$

⑮ $48 \div 8 =$

⑯ $56 \div 8 =$

⑰ $24 \div 3 =$

⑱ $81 \div 9 =$

⑲ $18 \div 3 =$

⑳ $25 \div 5 =$

㉑ $56 \div 7 =$

㉒ $10 \div 2 =$

㉓ $42 \div 7 =$

㉔ $24 \div 6 =$

곱셈구구 범위의 나눗셈

🖐 나눗셈을 계산하세요.

① 6 ÷ 3 =

② 56 ÷ 7 =

③ 30 ÷ 5 =

④ 48 ÷ 6 =

⑤ 49 ÷ 7 =

⑥ 16 ÷ 8 =

⑦ 24 ÷ 8 =

⑧ 16 ÷ 2 =

⑨ 18 ÷ 9 =

⑩ 40 ÷ 5 =

⑪ 16 ÷ 4 =

⑫ 24 ÷ 4 =

⑬ 30 ÷ 6 =

⑭ 20 ÷ 4 =

⑮ 56 ÷ 8 =

⑯ 18 ÷ 2 =

⑰ 35 ÷ 7 =

⑱ 12 ÷ 6 =

⑲ 12 ÷ 2 =

⑳ 48 ÷ 8 =

㉑ 9 ÷ 3 =

㉒ 72 ÷ 8 =

㉓ 36 ÷ 9 =

㉔ 28 ÷ 7 =

곱셈구구 범위의 나눗셈

나눗셈을 계산하세요.

① $18 \div 6 =$

② $20 \div 4 =$

③ $16 \div 4 =$

④ $40 \div 5 =$

⑤ $45 \div 5 =$

⑥ $36 \div 4 =$

⑦ $12 \div 6 =$

⑧ $6 \div 2 =$

⑨ $24 \div 8 =$

⑩ $54 \div 9 =$

⑪ $21 \div 3 =$

⑫ $35 \div 7 =$

⑬ $27 \div 9 =$

⑭ $28 \div 4 =$

⑮ $12 \div 2 =$

⑯ $42 \div 7 =$

⑰ $30 \div 6 =$

⑱ $18 \div 2 =$

⑲ $18 \div 9 =$

⑳ $25 \div 5 =$

㉑ $21 \div 7 =$

㉒ $24 \div 4 =$

㉓ $27 \div 3 =$

㉔ $54 \div 6 =$

3일 ❶

곱셈구구 범위의 나눗셈

👆 나눗셈을 계산하세요.

① $12 \div 6 =$ ② $45 \div 5 =$ ③ $30 \div 5 =$

④ $4 \div 2 =$ ⑤ $36 \div 4 =$ ⑥ $30 \div 6 =$

⑦ $8 \div 2 =$ ⑧ $45 \div 9 =$ ⑨ $21 \div 3 =$

⑩ $18 \div 9 =$ ⑪ $28 \div 4 =$ ⑫ $18 \div 3 =$

⑬ $10 \div 5 =$ ⑭ $8 \div 4 =$ ⑮ $81 \div 9 =$

⑯ $6 \div 2 =$ ⑰ $72 \div 8 =$ ⑱ $42 \div 7 =$

⑲ $32 \div 4 =$ ⑳ $24 \div 6 =$ ㉑ $54 \div 6 =$

㉒ $24 \div 4 =$ ㉓ $21 \div 7 =$ ㉔ $63 \div 9 =$

곱셈구구 범위의 나눗셈

나눗셈을 계산하세요.

① 24 ÷ 3 =　　　　② 20 ÷ 4 =　　　　③ 6 ÷ 2 =

④ 21 ÷ 7 =　　　　⑤ 12 ÷ 2 =　　　　⑥ 36 ÷ 9 =

⑦ 12 ÷ 6 =　　　　⑧ 16 ÷ 8 =　　　　⑨ 14 ÷ 2 =

⑩ 72 ÷ 9 =　　　　⑪ 18 ÷ 3 =　　　　⑫ 27 ÷ 3 =

⑬ 30 ÷ 6 =　　　　⑭ 28 ÷ 7 =　　　　⑮ 18 ÷ 6 =

⑯ 12 ÷ 4 =　　　　⑰ 18 ÷ 2 =　　　　⑱ 45 ÷ 5 =

⑲ 49 ÷ 7 =　　　　⑳ 48 ÷ 6 =　　　　㉑ 14 ÷ 7 =

㉒ 6 ÷ 3 =　　　　㉓ 35 ÷ 7 =　　　　㉔ 63 ÷ 7 =

곱셈구구 범위의 나눗셈

나눗셈을 계산하세요.

① 35 ÷ 7 =

② 18 ÷ 3 =

③ 36 ÷ 4 =

④ 9 ÷ 3 =

⑤ 18 ÷ 2 =

⑥ 40 ÷ 5 =

⑦ 63 ÷ 7 =

⑧ 45 ÷ 9 =

⑨ 24 ÷ 8 =

⑩ 20 ÷ 4 =

⑪ 18 ÷ 9 =

⑫ 28 ÷ 4 =

⑬ 27 ÷ 3 =

⑭ 20 ÷ 5 =

⑮ 24 ÷ 6 =

⑯ 14 ÷ 7 =

⑰ 6 ÷ 2 =

⑱ 56 ÷ 8 =

⑲ 6 ÷ 3 =

⑳ 63 ÷ 9 =

㉑ 21 ÷ 7 =

㉒ 49 ÷ 7 =

㉓ 12 ÷ 4 =

㉔ 24 ÷ 4 =

곱셈구구 범위의 나눗셈

나눗셈을 계산하세요.

① 81 ÷ 9 =

② 20 ÷ 4 =

③ 21 ÷ 7 =

④ 24 ÷ 4 =

⑤ 16 ÷ 2 =

⑥ 36 ÷ 6 =

⑦ 54 ÷ 9 =

⑧ 16 ÷ 4 =

⑨ 8 ÷ 4 =

⑩ 64 ÷ 8 =

⑪ 24 ÷ 6 =

⑫ 28 ÷ 7 =

⑬ 6 ÷ 3 =

⑭ 16 ÷ 8 =

⑮ 14 ÷ 2 =

⑯ 72 ÷ 9 =

⑰ 56 ÷ 7 =

⑱ 25 ÷ 5 =

⑲ 35 ÷ 5 =

⑳ 14 ÷ 7 =

㉑ 42 ÷ 7 =

㉒ 54 ÷ 6 =

㉓ 48 ÷ 8 =

㉔ 18 ÷ 3 =

곱셈구구 범위의 나눗셈

💡 나눗셈을 계산하세요.

① 30 ÷ 5 =

② 18 ÷ 9 =

③ 42 ÷ 6 =

④ 16 ÷ 8 =

⑤ 35 ÷ 5 =

⑥ 4 ÷ 2 =

⑦ 15 ÷ 5 =

⑧ 6 ÷ 3 =

⑨ 36 ÷ 9 =

⑩ 27 ÷ 3 =

⑪ 9 ÷ 3 =

⑫ 12 ÷ 2 =

⑬ 21 ÷ 7 =

⑭ 18 ÷ 6 =

⑮ 20 ÷ 4 =

⑯ 12 ÷ 6 =

⑰ 16 ÷ 2 =

⑱ 24 ÷ 3 =

⑲ 8 ÷ 2 =

⑳ 21 ÷ 3 =

㉑ 14 ÷ 2 =

㉒ 15 ÷ 3 =

㉓ 40 ÷ 8 =

㉔ 81 ÷ 9 =

도전! 계산왕

곱셈구구 범위의 나눗셈

공부한 날	월 일
점 수	/ 24

나눗셈을 계산하세요.

① 45 ÷ 5 =

② 6 ÷ 2 =

③ 72 ÷ 8 =

④ 48 ÷ 6 =

⑤ 42 ÷ 7 =

⑥ 18 ÷ 2 =

⑦ 54 ÷ 6 =

⑧ 10 ÷ 5 =

⑨ 45 ÷ 9 =

⑩ 21 ÷ 7 =

⑪ 36 ÷ 4 =

⑫ 32 ÷ 8 =

⑬ 54 ÷ 9 =

⑭ 40 ÷ 5 =

⑮ 63 ÷ 7 =

⑯ 35 ÷ 7 =

⑰ 14 ÷ 7 =

⑱ 12 ÷ 3 =

⑲ 24 ÷ 3 =

⑳ 30 ÷ 5 =

㉑ 40 ÷ 5 =

㉒ 10 ÷ 2 =

㉓ 36 ÷ 9 =

㉔ 24 ÷ 4 =

11 어떤 수를 몇씩 빼면 모두 몇 번 뺄 수 있는지 알아보고 곱셈식으로 나타내어 보세요.

24를 8씩 빼면

$$24 - \boxed{} - \boxed{} - \boxed{} = 0$$

$$8 \times \boxed{} = 24$$

12 □에 알맞은 수를 써넣으세요.

36개는 9개씩 담으려면

가 $\boxed{}$ 개 필요합니다.

13 똑같이 나눌 수 있는 수는 ×표를 하고, 나눌 수 있는 수는 빈칸에 몫을 써넣으세요.

$$54 \div \boxed{6} = \boxed{}$$
$$54 \div \boxed{7} = \boxed{}$$
$$54 \div \boxed{9} = \boxed{}$$

14 ○ 안의 수를 똑같이 나눌 수 있는 수를 모두 색칠하세요.

36

4	5	6
7	8	9

15 빈칸에 알맞은 수를 써넣으세요.

$$81 \div 9 = \boxed{}$$

$$40 \div 5 = \boxed{}$$

$$\boxed{} \times \boxed{} = \boxed{} \div 9 = \boxed{}$$

16 계산 결과에 알맞게 걸을 그려 보세요.

6

32 ÷

8

= 4

17 계산해 보세요.

① $18 \div 6 =$ ② $21 \div 3 =$

③ $20 \div 4 =$ ④ $8 \div 2 =$

18 계산해 보세요.

① $27 \div 3 =$ ② $42 \div 6 =$

③ $15 \div 5 =$ ④ $81 \div 9 =$

19 계산해 보세요.

① $32 \div 4 =$ ② $12 \div 6 =$

③ $72 \div 8 =$ ④ $54 \div 6 =$

20 계산해 보세요.

① $30 \div 5 =$ ② $28 \div 4 =$

③ $45 \div 5 =$ ④ $24 \div 6 =$

총괄 테스트

6권 나눗셈

01 빈칸에 알맞은 수를 써넣으세요.

①
$$
\begin{array}{r}
6 \\
\times\ \boxed{} \\
\hline
4\ 2
\end{array}
$$

②
$$
\begin{array}{r}
8 \\
\times\ \boxed{} \\
\hline
4\ 0
\end{array}
$$

02 계산해 보세요.

① $7 \times \boxed{} = 21$

② $\boxed{} \times 6 = 54$

③ $\boxed{} \times 4 = 16$

④ $3 \times \boxed{} = 24$

03 빈칸에 알맞은 수를 써넣으세요.

①
$$
\begin{array}{r}
7 \\
\times\ \boxed{} \\
\hline
9
\end{array}
$$

②
$$
\begin{array}{r}
\boxed{} \\
\times\ 9 \\
\hline
4
\end{array}
$$

04 동현이가 색종이 8장씩을 친구들에게 나누어 주었더니, 남는 것이 없었습니다. 동현이가 처음 가지고 있던 색종이가 72장이었을 때, 몇 명에게 나누어 주었을까요? □가 있는 식을 세우고 답을 구하세요.

식 :

답 : 　　　　명

05 곱셈구구표의 색칠된 빈칸에 알맞은 수를 써넣으세요.

×	5		6
6	30	42	18
	20	28	12
	45	63	27

06 수를 접시 수에 맞게 나누어 덧셈식으로 나타내고, 나눗셈식으로 바꾸어 나타내어 보세요.

$24 = \boxed{} + \boxed{} + \boxed{} + \boxed{}$

↑ $24 \div 4 = \boxed{}$

07 빈칸에 알맞은 수를 써넣으세요.

35 개를 ⬭ 5 개에 똑같이

⬭ 개는 🏀 🏀 개씩 담을 수 있습니다.

08 곱셈식을 보고 나눗셈식 2개를 만들어 보세요.

$$8 \times 7 = 56$$

$\boxed{} \div \boxed{} = \boxed{}$

$\boxed{} \div \boxed{} = \boxed{}$

09 곱셈식을 이용하여 나눗셈의 몫을 구해 보세요.

$\boxed{} \times 9 = 54$

$54 \div 9 = \boxed{}$

10 빈칸에 알맞은 수를 써넣으세요.

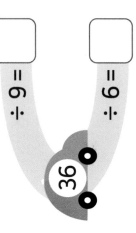

$36 \div 9 = \boxed{}$

$36 \div 6 = \boxed{}$

1000math.com

홈페이지

· 천종현수학연구소 소개 및 학습 자료 공유
· 출판 교재, 연구소 굿즈 구입

 cafe.naver.com/maths1000

네이버카페

· 다양한 이벤트 및 '천쌤수학학습단' 진행
· 학습 상담 게시판 운영

 https://www.instagram.com/ 1000maths

인스타그램

· 수학고민상담소 '천쌤에게 물어보셈' 릴스 보기
· 가장 빠르게 만나는 연구소 소식 및 이벤트

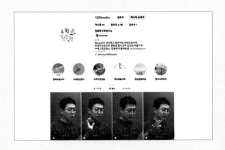

 https://www.youtube.com/ @1000math4U

유튜브

· 인스타 라이브방송 '천쌤에게 물어보셈' 다시 보기
· 고민 상담 사례 및 수학교육 기획 콘텐츠

천종현수학연구소는
유아 초등 수학 교재와 **콘텐츠**를 꾸준히 **개발**하고 있습니다. 네이버에 '**천종현수학연구소**'를 검색하시거나
인스타그램, 유튜브 등 다양한 채널을 통해서도 **연산**과 **사고력 수학**, **교과 심화 학습**에 대한 **노하우**와 **정보**를
다양하게 제공합니다. 지금 바로 만나보세요.

SINCE **2014**

천종현수학연구소 출판 교재

01
유아 자신감 수학

썼다 지웠다 붙였다 뗐다
우리 아이의 첫 수학 교재

02
TOP 사고력 수학

실력도 탑! 재미도 탑!
사고력 수학의 으뜸

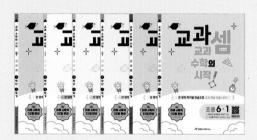

03
교과셈

사칙연산+도형, 측정, 경우의 수까지
반복 학습이 필요한 초등 연산 완성

04
따풀 수학

다양한 개념과 해결 방법을 배우는
배움이 있는 학습지

05
초등 사고력 수학의 원리/전략

진정한 수학 실력은 원리의 이해와 문제 해결 전략에서
재미있게 읽는 17년 초등 사고력 수학의 노하우!!

초등 | 수학 전문가가 만든 **연산 교재**

원리셈

천종현 지음

정답

2학년 **6**

나눗셈

천종현수학연구소

10쪽
① 3 ② 5
③ 4 ④ 8
⑤ 7 ⑥ 6

11쪽
① 6 ② 6 ③ 4
④ 7 ⑤ 5 ⑥ 7
⑦ 9 ⑧ 7 ⑨ 7
⑩ 8 ⑪ 9 ⑫ 6

12쪽
① 2 ② 7
③ 6 ④ 9
⑤ 8 ⑥ 6
⑦ 6 ⑧ 7
⑨ 9 ⑩ 5
⑪ 2 ⑫ 5
⑬ 2 ⑭ 5
⑮ 4 ⑯ 7

13쪽
① 4
  2
② 8 ③ 9
  7   2
④ 8 ⑤ 6
  5   5

14쪽
① 5 ② 6 ③ 9
  1   4   8
④ 2 ⑤ 2 ⑥ 4
  1   1   1
⑦ 4 ⑧ 8 ⑨ 5
  3   2   3
⑩ 6 ⑪ 7 ⑫ 7
  1   4   6

15쪽
① 4 9
  2 5
② 2 7
  1 5

16쪽
① 3 8
  1 4
② 4 9
  1 3
③ 3 8
  2 6

17쪽

×	4	6	8	2	7	5	3	9
2	8	12	16	4	14	10	6	18

×	5	6	4	2	7	9	8	3
5	25	30	20	10	35	45	40	15

×	7	2	6	8	3	5	9	4
7	49	14	42	56	21	35	63	28

×	3	7	5	2	9	4	8	6
9	27	63	45	18	81	36	72	54

×	6	7	4	8	3	9	5	2
6	36	42	24	48	18	54	30	12

×	8	6	2	9	3	4	7	5
4	32	24	8	36	12	16	28	20

18쪽

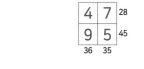

×	6	4	8
2	12	8	16
9	54	36	72
6	36	24	48

×	5	7	3
4	20	28	12
6	30	42	18
8	40	56	24

×	4	8	2
6	24	48	12
3	12	24	6
5	20	40	10

×	9	4	3
7	63	28	21
5	45	20	15
8	72	32	24

×	5	3	7
7	35	21	49
6	30	18	42
5	25	15	35

×	2	7	6
8	16	56	48
5	10	35	30
3	6	21	18

19쪽

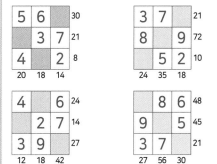

20쪽

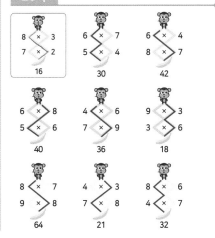

① 7×□=21, 3

① 4×□=24, 6
② 8×□=56, 7

① □×5=20, 4
② 2×□=18, 9
③ 5×□=45, 9

① □×5=25, 5
② 6×□=36, 6
③ 3×□=15, 5

2주차 - 똑같은 묶음으로 나누기

① 4
② 3
③ 2

① 5, 5, 5
  5
② 8, 8, 8, 8
  8
③ 5, 5, 5, 5, 5
  5

① 2, 2, 2, 2
  2
② 8, 8
  8
③ 9, 9, 9
  9
④ 6, 6, 6, 6, 6, 6
  6

① 6
② 2
③ 9
④ 7
⑤ 4
⑥ 6
⑦ 5

① 2, 10
  2, 5
  5, 2
② 6, 18
  3, 6
  6, 3

① 8, 3, 24   24, 8, 3
  3, 8, 24   24, 3, 8
② 2, 7, 14   14, 2, 7
  7, 2, 14   14, 7, 2
③ 5, 6, 30   30, 5, 6
  6, 5, 30   30, 6, 5

① 40, 5, 8
  40, 8, 5
② 63, 7, 9
  63, 9, 7
③ 18, 3, 6
  18, 6, 3
④ 42, 6, 7
  42, 7, 6

① 7
  21, 3, 7
② 6   ③ 9
  48, 8, 6   45, 5, 9

① 6   ② 8
  36, 6, 6   24, 3, 8
③ 8   ④ 8
  56, 7, 8   32, 4, 8
⑤ 6   ⑥ 6
  30, 5, 6   54, 9, 6

35쪽

① 6
6
② 5
5
③ 3
3
④ 8
8
⑤ 7
7
⑥ 8
8
⑦ 7
7
⑧ 6
6

36쪽

① 8
4
② 2
6
③ 5
9
④ 6
9
⑤ 4
2
⑥ 7
4
⑦ 6
4
⑧ 4
8

37쪽

```
36  24  28          42  21  35
  ✕        ÷ 4        ✕        ÷ 7
6   9   7           5   3   6

36  54  48          45  40  30
  ✕        ÷ 6        ✕        ÷ 5
9   6   8           9   6   8

24  15  18          72  56  64
  ✕        ÷ 3        ✕        ÷ 8
6   8   5           7   9   8
```

38쪽

① 24÷3=8, 8

39쪽

① 25÷5=5, 5
② 54÷6=9, 9
③ 36÷4=9, 9
④ 12÷4=3, 3

40쪽

① 16÷8=2, 2
② 28÷7=4, 4
③ 20÷5=4, 4
④ 21÷7=3, 3

3주차 - 도전! 계산왕

42쪽

① 4
4
② 4
4
③ 2
2
④ 8
8
⑤ 7
7
⑥ 8
8
⑦ 6
6
⑧ 7
7
⑨ 3
3
⑩ 6
6

43쪽

① 7
7
② 5
5
③ 9
9
④ 6
6
⑤ 9
9
⑥ 8
8
⑦ 9
9
⑧ 7
7
⑨ 7
7
⑩ 9
9

44쪽

① 4
4
② 6
6
③ 9
9
④ 6
6
⑤ 8
8
⑥ 4
4
⑦ 8
8
⑧ 7
7
⑨ 3
3
⑩ 7
7

45쪽

① 5
5
② 8
8
③ 8
8
④ 6
6
⑤ 4
4
⑥ 3
3
⑦ 4
4
⑧ 9
9
⑨ 4
4
⑩ 6
6

46쪽

① 5
   5
② 3
   3

③ 9
   9
④ 3
   3

⑤ 5
   5
⑥ 6
   6

⑦ 7
   7
⑧ 6
   6

⑨ 9
   9
⑩ 8
   8

47쪽

① 3
   3
② 3
   3

③ 8
   8
④ 8
   8

⑤ 6
   6
⑥ 7
   7

⑦ 3
   3
⑧ 8
   8

⑨ 2
   2
⑩ 7
   7

48쪽

① 6
   6
② 7
   7

③ 5
   5
④ 7
   7

⑤ 9
   9
⑥ 4
   4

⑦ 8
   8
⑧ 4
   4

⑨ 8
   8
⑩ 9
   9

49쪽

① 3
   3
② 3
   3

③ 3
   3
④ 7
   7

⑤ 7
   7
⑥ 6
   6

⑦ 8
   8
⑧ 6
   6

⑨ 7
   7
⑩ 8
   8

50쪽

① 6
   6
② 3
   3

③ 6
   6
④ 6
   6

⑤ 4
   4
⑥ 7
   7

⑦ 2
   2
⑧ 9
   9

⑨ 7
   7
⑩ 5
   5

51쪽

① 8
   8
② 4
   4

③ 7
   7
④ 9
   9

⑤ 6
   6
⑥ 6
   6

⑦ 8
   8
⑧ 6
   6

⑨ 8
   8
⑩ 9
   9

54쪽

① 6
   6

② 3
   3

③ 5
   5

④ 4
   4

⑤ 4
   4

⑥ 6
   6

55쪽

① 4, 4, 4
   3

② 7, 7, 7, 7
   4

③ 5, 5, 5, 5, 5
   5

④ 9, 9, 9
   3

56쪽

① 4
   4
② 7
   7

③ 2
   2
④ 4
   4

⑤ 5
   5
⑥ 6
   6

⑦ 3
   3
⑧ 5
   5

① 6
② 8
③ 5
④ 6
⑤ 6
⑥ 7
⑦ 7

① 21, 7, 3
② 30, 6, 5 ③ 16, 4, 4
④ 36, 9, 4 ⑤ 24, 8, 3
⑥ 36, 6, 6
⑦ 63, 7, 9

① 72-9-9-9-9-9-9-9-9=0
② 64-8-8-8-8-8-8-8-8=0
③ 42-7-7-7-7-7-7=0
④ 40-8-8-8-8-8=0

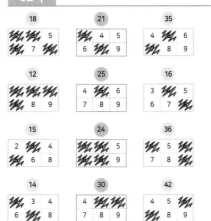

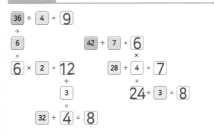

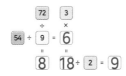

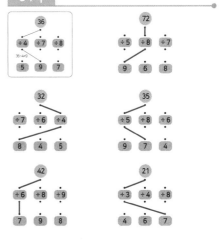

① 15÷3=5, 5

① 16÷4=4, 4
② 20÷4=5, 5

① 35÷5=7, 7
② 64÷8=8, 8
③ 30÷6=5, 5

① 81÷9=9, 9
② 72÷8=9, 9
③ 28÷4=7, 7

정답 5

70쪽

① 9
② 8
③ 7
④ 6
⑤ 5
⑥ 4
⑦ 3
⑧ 2
⑨ 1

71쪽

① 9
② 8
③ 7
④ 6
⑤ 5
⑥ 4
⑦ 3
⑧ 2
⑨ 1

72쪽

① 8   ② 6
③ 7   ④ 7
⑤ 4   ⑥ 5
⑦ 8   ⑧ 9
⑨ 3   ⑩ 8
⑪ 8   ⑫ 5

73쪽

① 9
② 8
③ 7
④ 6
⑤ 5
⑥ 4
⑦ 3
⑧ 2
⑨ 1

74쪽

① 9
② 8
③ 7
④ 6
⑤ 5
⑥ 4
⑦ 3
⑧ 2
⑨ 1

75쪽

① 3   ② 9
③ 3   ④ 1
⑤ 8   ⑥ 6
⑦ 8   ⑧ 5
⑨ 7   ⑩ 4
⑪ 4   ⑫ 2
⑬ 6   ⑭ 5
⑮ 7   ⑯ 2

76쪽

① 9
② 8
③ 7
④ 6
⑤ 5
⑥ 4
⑦ 3
⑧ 2
⑨ 1

77쪽

① 9
② 8
③ 7
④ 6
⑤ 5
⑥ 4
⑦ 3
⑧ 2
⑨ 1

78쪽

① 9   ② 8
③ 5   ④ 7
⑤ 6   ⑥ 7
⑦ 4   ⑧ 4
⑨ 9   ⑩ 5
⑪ 1   ⑫ 3
⑬ 6   ⑭ 2
⑮ 3   ⑯ 2

79쪽

① 9
② 8
③ 7
④ 6
⑤ 5
⑥ 4
⑦ 3
⑧ 2
⑨ 1

80쪽

① 9
② 8
③ 7
④ 6
⑤ 5
⑥ 4
⑦ 3
⑧ 2
⑨ 1

81쪽

① 6 ② 6
③ 9 ④ 8
⑤ 7 ⑥ 5
⑦ 3 ⑧ 7
⑨ 9 ⑩ 5
⑪ 8 ⑫ 3
⑬ 4 ⑭ 4
⑮ 2 ⑯ 2

82쪽

83쪽

	32 ÷ 4 = 7	
63 ÷ 7 = 8	42 ÷ 5 = 7	
15 ÷ 4 = 4	27 ÷ 9 = 4	
20 ÷ 3 = 5	64 ÷ 8 = 9	

	81 ÷ 9 = 8	
	56 ÷ 8 = 6	
16 ÷ 2 = 9	24 ÷ 3 = 7	
6 ÷ 2 = 2	9 ÷ 3 = 6	

84쪽

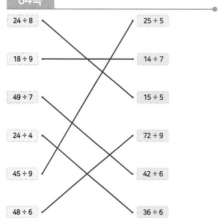

86쪽

① 6 ② 5 ③ 9
④ 7 ⑤ 4 ⑥ 3
⑦ 9 ⑧ 7 ⑨ 4
⑩ 9 ⑪ 8 ⑫ 8
⑬ 2 ⑭ 7 ⑮ 3
⑯ 5 ⑰ 8 ⑱ 4
⑲ 6 ⑳ 4 ㉑ 3
㉒ 9 ㉓ 2 ㉔ 2

87쪽

① 3 ② 9 ③ 2
④ 2 ⑤ 3 ⑥ 5
⑦ 9 ⑧ 9 ⑨ 5
⑩ 3 ⑪ 7 ⑫ 9
⑬ 6 ⑭ 8 ⑮ 6
⑯ 7 ⑰ 8 ⑱ 9
⑲ 6 ⑳ 5 ㉑ 8
㉒ 5 ㉓ 6 ㉔ 4

88쪽

① 2 ② 8 ③ 6
④ 8 ⑤ 7 ⑥ 2
⑦ 3 ⑧ 8 ⑨ 2
⑩ 8 ⑪ 4 ⑫ 6
⑬ 5 ⑭ 5 ⑮ 7
⑯ 9 ⑰ 5 ⑱ 2
⑲ 6 ⑳ 6 ㉑ 3
㉒ 9 ㉓ 4 ㉔ 4

총괄 테스트

6권 나눗셈

이름 ____ 점수 ____

01 빈칸에 알맞은 수를 써넣으세요.

①
$$
\begin{array}{r}
6 \\
\times\ \boxed{7} \\
\hline
4\ 2
\end{array}
$$

②
$$
\begin{array}{r}
\boxed{5} \\
\times\ 8 \\
\hline
4\ 0
\end{array}
$$

02 계산해 보세요.

① $7 \times \boxed{3} = 21$　② $\boxed{9} \times 6 = 54$

③ $\boxed{4} \times 4 = 16$　④ $3 \times \boxed{8} = 24$

03 빈칸에 알맞은 수를 써넣으세요.

①
$$
\begin{array}{r}
7 \\
\times\ \boxed{7} \\
\hline
4\ 9
\end{array}
$$

②
$$
\begin{array}{r}
\boxed{6} \\
\times\ 9 \\
\hline
5\ 4
\end{array}
$$

04 동현이가 색종이 8장씩을 친구들에게 나누어 주었더니 남는 것이 없었습니다. 동현이가 처음 가지고 있던 색종이가 72장이었을 때, 몇 명에게 나누어 주었을까요? □가 있는 식을 세우고 답을 구하세요.

식: $8 \times \boxed{9} = 72$

답: $\boxed{9}$ 명

05 곱셈구구표의 색칠된 빈칸에 알맞은 수를 써넣으세요.

×	7	5	3
6	42	30	18
4	28	20	12
9	63	45	27

06 수를 접시 수에 맞게 나누어 덧셈식으로 나타내고, 나눗셈식으로 바꾸어 나타내어 보세요.

$24 = \boxed{6} + \boxed{6} + \boxed{6} + \boxed{6}$

→ $24 \div 4 = \boxed{6}$

07 빈칸에 알맞은 수를 써넣으세요.

35개　　5개씩 똑같이

$\boxed{7}$ 개씩 담을 수 있습니다.

08 곱셈식을 보고 나눗셈식 2개를 만들어 보세요.

$8 \times 7 = 56$

$56 \div \boxed{7} = \boxed{8}$

$56 \div \boxed{8} = \boxed{7}$

09 곱셈식을 이용하여 나눗셈의 몫을 구해 보세요.

$\boxed{6} \times 9 = 54$

$54 \div 9 = \boxed{6}$

10 빈칸에 알맞은 수를 써넣으세요.

$36 \quad \div 9 = \boxed{4}$

$36 \quad \div 6 = \boxed{6}$

---

11 어떤 수를 몇씩 빼면 모두 몇 번 뺄 수 있는지 알아보고 곱셈식으로 나타내어 보세요.

24를 8씩 빼면

$24 - \boxed{8} - \boxed{8} - \boxed{8} = 0$

$8 \times \boxed{3} = 24$

12 □에 알맞은 수를 써넣으세요.

36개를 9개씩 담으려면

$\boxed{가}$ $\boxed{4}$ 개 필요합니다.

13 똑같이 나눌 수 없는 X표를 하고, 나눌 수 있는 빈칸에 몫을 써넣으세요.

$54 \div$

$6 = \boxed{9}$

$\boxed{X} =$

$9 = \boxed{6}$

14 ○ 안의 수를 똑같이 나눌 수 있는 수를 모두 색칠하세요.

36

4	5	6
7	8	9

15 빈칸에 알맞은 수를 써넣으세요.

$81 \div \boxed{9} = \boxed{9}$

$40 \div \boxed{5} = \boxed{8}$

$\boxed{9} \times \boxed{5} = $

$= 45 \div \boxed{9} = \boxed{5}$

16 계산 결과에 알맞게 길을 그려 보세요.

$32 \div 4$

9

8

$= 4$

17 계산해 보세요.

① $18 \div 6 = 3$　② $21 \div 3 = 7$

③ $20 \div 4 = 5$　④ $8 \div 2 = 4$

18 계산해 보세요.

① $27 \div 3 = 9$　② $42 \div 6 = 7$

③ $15 \div 5 = 3$　④ $81 \div 9 = 9$

19 계산해 보세요.

① $32 \div 4 = 8$　② $12 \div 6 = 2$

③ $72 \div 8 = 9$　④ $54 \div 6 = 9$

20 계산해 보세요.

① $30 \div 5 = 6$　② $28 \div 4 = 7$

③ $45 \div 5 = 9$　④ $24 \div 6 = 4$

○ 마술 같은 논리 수학 **매직**
전 영역에 걸쳐 균형 있는 논리력, 문제해결력 기르기

○ 생각하고 발견하는 수학 **로지카**
최고 수준 학습을 위한 사고력, 문제해결력 기르기

○ 문제해결력 향상을 위한 실전서
문제해결사 PULL UP
학년별 실전 고난도 문제해결을 위한 브릿지 학습

천종현수학연구소의 학원 프로그램, **로지카 아카데미**

"수학으로 세상을 다르게 보는 아이로!"
"생각하고 발견하는 수학, **로지카 아카데미**에서 시작하세요."

20년 차 수학교육전문가 천종현 소장과 함께 생각하는 힘을 기를 수 있는 곳, 로지카 아카데미입니다. 생각하고 발견하는 수학을 통해 아이들은 새로운 세상을 만나게 될 것입니다. 오늘부터 아이의 수학 여정을 로지카 아카데미와 함께하세요.

▶ ▷ ▷ ▷ **로지카 아카데미** www.logicaedu.kr

천종현수학연구소의 교재 흐름도

	4세	5세	6세	7세	초1
출판 교재					
유자수 · 탑사고력	만 3세	만 4세	만 5세	K단계	P단계
원리셈		5, 6세	6, 7세	7, 8세	초등 1
교과셈					초등 1
따풀				7세	초등 1
학원 교재					
매직 · 로지카			K단계	P단계	A단계
풀업				P단계	A단계